초능력+쌤의 비디오북으로 읽기를 재미있게! 정확하게!

우리말은 같은 문장이라도 어떻게 읽느냐에 따라 뜻이 달라집니다.
'읽기'를 잘해야 글의 내용을 정확히 알고, 뜻을 바르게 이해할 수 있어요.

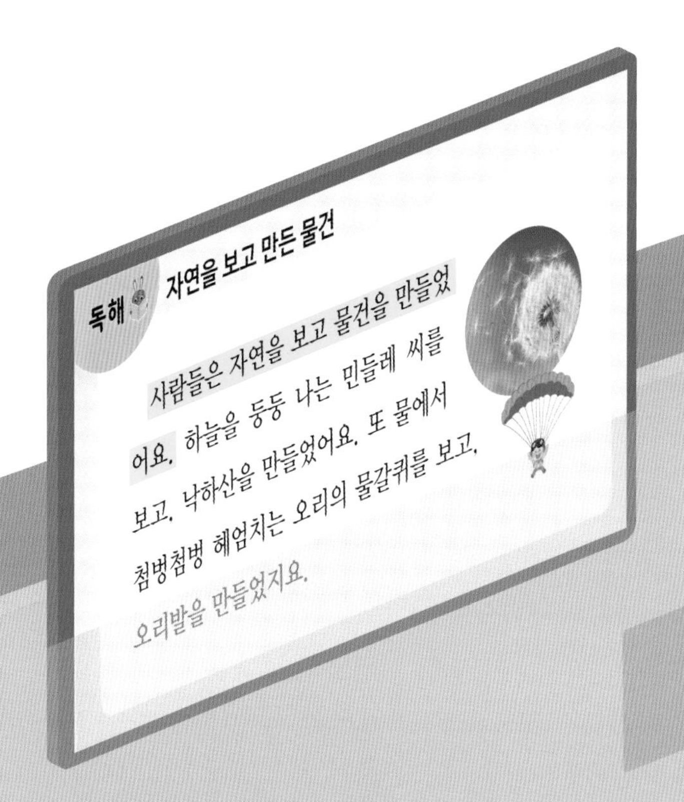

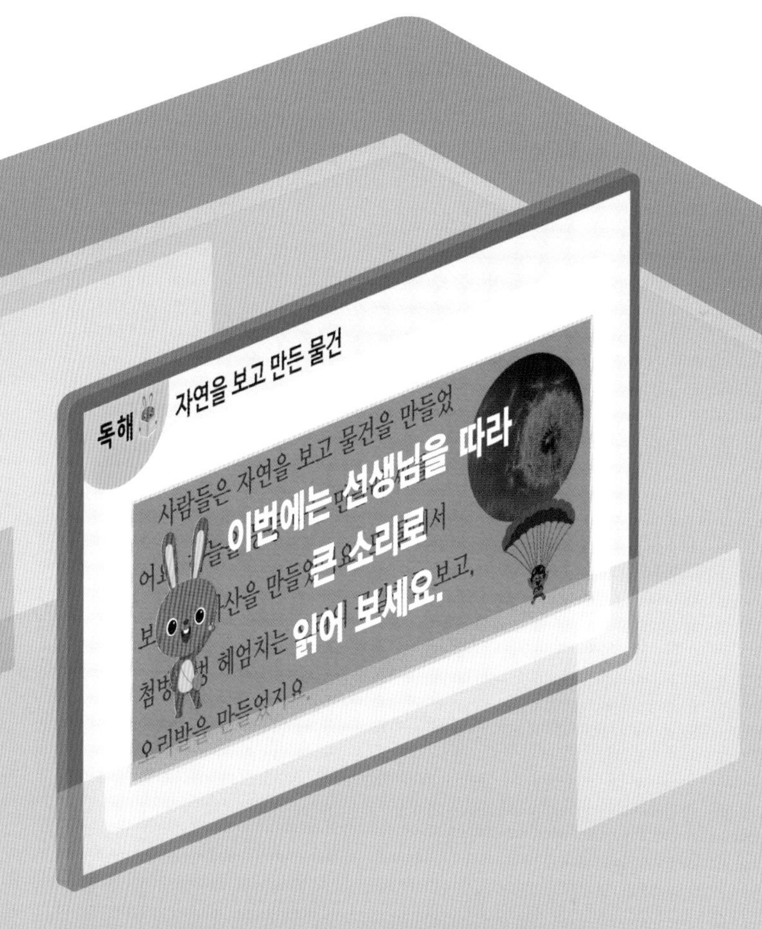

1 전 지문 비디오북 제공

초능력+쌤이 들려 주는 글을 눈으로 따라 읽으면 읽기 호흡에 적응하는 속도가 빨라집니다.

초능력+쌤이 정확한 발음으로 읽어 주는 글을 집중하여 들으며 글을 읽게 해 주세요.

2 전 지문 한 문장씩 따라 읽기 제공

초능력+쌤이 읽고 난 뒤 형광펜 효과를 보며 한 문장씩 따라 읽으면 독해력이 향상됩니다.

글자와 소리가 다른 낱말에 주의하며 알맞게 띄어 읽게 해 주세요.

초능력 쌤과 키우자, 공부힘!

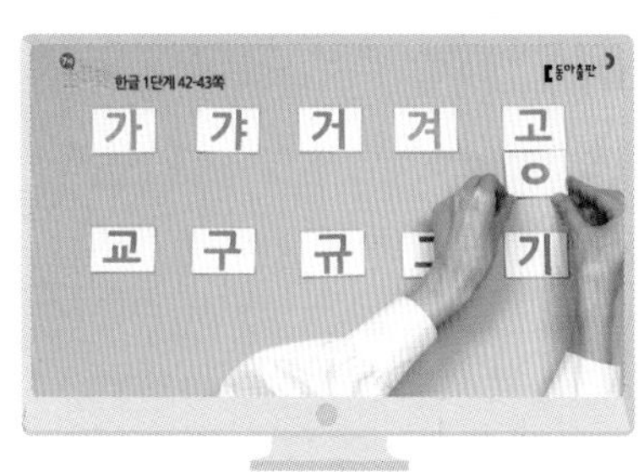

한글 | 글자의 짜임 강의

- 글자 카드를 활용하여 쉽고 재미있게 한글 원리 강의
- 받침과 쌍자음, 복잡한 모음이 들어간 글자 짜임 방식 완벽 이해

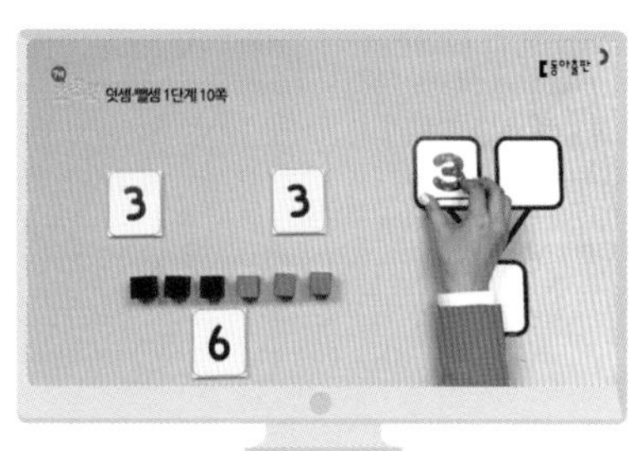

덧셈·뺄셈 | 개념 활동 강의

- 그림과 교구를 활용한 활동으로 덧셈·뺄셈 원리 강의
- 구체물을 활용한 짧고 쉬운 설명으로 덧셈·뺄셈 문제 완벽 이해

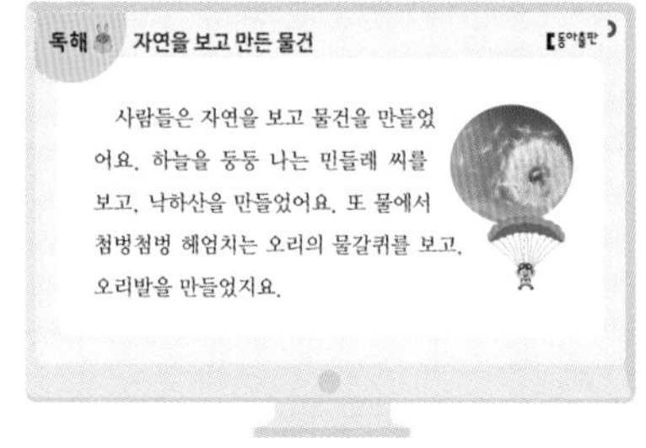

유아 독해 | 비디오북

- 생활 글 전 지문, 동화 전체 수록 작품 비디오북 제공
- 비디오북을 보며 글에 집중하여 따라 읽고 독해력 향상

도형·비교·시계·규칙 | 개념 활동 강의

- 그림과 교구를 활용한 활동으로 도형·비교·시계·규칙 원리 강의
- 구체물을 활용한 짧고 쉬운 설명으로 도형·비교·시계·규칙 문제 완벽 이해

놀이 한자 | 한자 챈트

- 그림으로 상형 문자인 기초 한자를 생생하게 이해
- 한자의 모양·뜻·소리를 동시에 효과적으로 학습

엄마랑 둘이 학습하는 한글 쓰기 / 창의력·집중력

- **한글 쓰기** 실생활에서 많이 쓰이는 132개 낱말의 짜임과 순서를 자세하고 쉽게 이해
- **창의력·집중력** 7세의 창의력과 집중력을 동시에 향상시킬 수 있는 두뇌 계발 교재

7세

초능력

유아 독해

1단계

7세

유아도 독해 공부해야 하나요?

독해(讀解) : 단순히 낱말만 읽는 것이 아니라 글을 읽고 글에 담긴 뜻을 이해하는 것.

왜 해야 하나요?

독해는 모든 독서, 모든 공부의 기초이기 때문입니다.
독해가 안 되면 글을 아무리 읽어도 내용을 알 수 없어요.

언제 해야 하나요?

한글을 뗀 6세나 7세부터 독해를 시작하세요.
일찍 독해를 시작할수록 언어 능력 · 사고 능력 · 추론 능력을 더 많이 발달시킬 수 있어요.

무엇이 좋은가요?

독해 연습을 꾸준히 하면 글의 내용을 금방 이해하고, 주제를 정확하게 파악할 수 있어요.
또, 책 읽는 즐거움도 느껴 다독하게 됩니다.

6~7세 독해 공부 어떻게 해야 하나요?

1 문장 독해

처음부터 많은 문장, 긴 글을 읽을 필요는 없어요.
간단하고 쉬운 문장부터 읽고, 문장의 구조와 핵심 요소를 파악하는 연습을 하게 해 주세요.

2 문단 독해

문장 독해에 익숙해지면 문장이 모여 만들어진 문단을 읽게 해 주세요.
이때 문단의 내용을 바르게 이해하는 연습을 반복적으로 시켜 주세요.

3 짧은 글 독해

문단이 모여 이루어진 짧은 글을 읽고 글 전체의 주제를 정리하게 해 주세요.
그리고 짧은 글을 끝까지 읽고, 생각하는 힘도 키우도록 지도해 주세요.

7세 초능력 유아 독해로 시작하세요!

1단계 문장 독해부터 집중적으로 연습할 수 있어요!

선우가 | 어린이날에 | 산에서 | "야호!" 외쳐요.

누가 | 언제 | 어디에서 | 무엇을 하다

생활 글 자연 탐구 · 나와 우리 · 규칙과 약속 · 즐길 거리 · 우리 문화

- 문장의 구조를 바르게 이해하며 '누가', '언제', '어디에서', '무엇을', '어떻게', '왜' 했는지 문장의 핵심 요소를 찾아보도록 구성했습니다.
- 7세의 언어 발달 수준을 고려하여 뽑은 독해 원리를 익히며 처음부터 제대로 독해할 수 있습니다.
- 다양한 글감의 글을 읽으며 세상 구석구석에서 일어나는 일을 살펴보고, 유아 수준에서 알아야 할 지식 정보까지 쌓을 수 있어 유익합니다.

2단계 짧은 글을 독해하고 중요한 내용을 정리할 수 있어요!

더워지자 그 사람은 옷을 벗었습니다.
"바람아, 때로는 힘보다 부드러운 햇빛이
더 강할 수도 있는 거야." 가르침을 알 수 있는 부분

동화 창작 동화 · 세계 명작 · 전래 동화 · 우화 · 그림 동화

- 문장이 여러 개 모여 이루는 문단을 독해하며 글의 의미를 바르게 이해하고 감상하는 연습을 하도록 구성했습니다.
- 매주 한 편의 글을 읽고 나서 글 전체의 중요한 내용을 따라 쓰며 쓰기 능력을 향상시킬 수 있습니다.
- 짧은 동화 다섯 작품의 전체를 읽으면 이제 막 글 읽기를 시작하는 7세가 독해하는 재미를 느껴 폭넓은 독서를 하게 될 것입니다.

7세

초능력 유아 독해 이렇게 공부하세요.

1 숨은 그림 찾기 어떤 내용의 글을 독해하게 될지 짐작하며 독해 전 집중력을 높여요.

학부모 TIP

"이번 주에 어떤 내용의 글을 읽게 될까?"라고 물어보시며 자녀가 독해에 관심을 가지도록 유도해 주세요.

2 독해 원리 익히고 연습하기 매일 다른 독해 원리를 배우고 연습 문제를 풀어요.

학부모 TIP

독해를 할 때 꼭 필요한 원리를 다양하게 익히고, 간단한 문제를 풀어 보며 독해 자신감을 키우도록 이끌어 주세요.

QR 코드를 찍어 짧은 글 '따라 읽기'

전문 성우의 음성을 들으며 읽기 학습을 합니다. 하나씩 집중해서 따라 읽으며 문장을 정확하게 이해하고, 풍부하게 표현하는 힘을 기릅니다.

3 짧은 글 독해하기 독해 원리를 적용하고 문제를 풀며 글의 자세한 내용을 확인합니다.

독해 ❶

따라 읽기

집 짓기 선수, 비버

비버가 튼튼한 이빨로 딱딱한 나무를 잘라요. 비버는 자른 나무를 차곡차곡 모아서 집을 지어요.

원리 콕 누가 나오나요?

비버 / 다람쥐 가 나와요.

1 비버는 무엇을 모아서 집을 짓나요? 알맞은 것에 색칠하세요.

꽃 벽돌 물고기
별 나무 배

독해 ❷

따라 읽기

스컹크가 적을 만났을 때

스컹크가 몸을 크게 만들고, 발을 탁탁 쳐요.

스컹크가 복슬복슬한 꼬리털을 위로 들어요.

스컹크가 나쁜 냄새를 뿡 내뿜어 적을 물리쳐요.

원리 콕 누가 복슬복슬한 꼬리털을 위로 드나요?

하마 / 스컹크 예요.

2 스컹크가 적을 만났을 때 하는 일에 ○ 하세요.

바위 뒤에 숨어요. 나쁜 냄새를 내뿜어요. 큰 목소리로 노래 불러요.

학부모 TIP

자녀가 문제를 다 풀면 "정답"을 보며 글을 바르게 이해했는지 빠르게 확인합니다. 또, 틀린 문제는 왜 틀렸는지 설명해 주세요.

7세 초능력 독해 2단계는? 이런 점이 달라요!

주별로 새롭게 배우는 독해 원리!

예쁜 그림과 함께 동화를 읽을 때 꼭 알아야 하는 요소를 배워요.

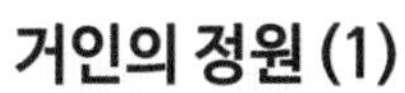

한 편의 동화를 재미있게 독해 학습!

글을 집중해서 읽고, 다양한 유형의 독해 문제를 풀며 독해 실력을 높여요.

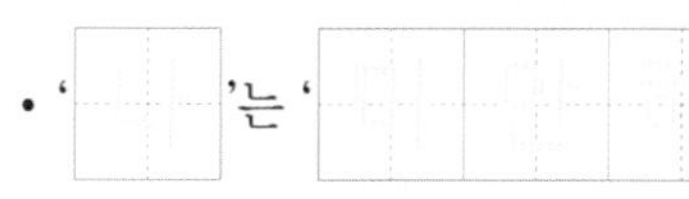

비디오북을 보며 쏙쏙 정리!

독해한 이야기를 영상으로 생생하게 만나며 전체 내용을 정리하고 감상해요.

7세 초능력 유아 독해 1단계 차례

7세
초능력 유아 독해 2단계 미리보기

1주 | **창작 동화 :** 꿀꺽, 또 말을 삼켰네!
2주 | **세계 명작 :** 거인의 정원
3주 | **전래 동화 :** 젊어지는 샘물
4주 | **우화 :** 개미와 베짱이
5주 | **그림 동화 :** 내가 잘할 수 있을까?

1주

독해 주제:
자연 탐구

위 그림에서 아래의 내용들을 찾아 ◯ 하세요.

1일

독해 원리

'누가' 나오는지 찾기

고양이가 쪼르르 달려가요.

누가

강아지가 살랑살랑 꼬리를 흔들어요.

누가

연습 그림을 보고, '누가' 나오는지 찾아 색칠하세요.

요리사가 요리를 해요.

학부모 TIP 자녀와 먼저 그림을 보면서 누가 무엇을 하는지 이야기를 나누어 보세요. 그리고 문장에서 '~이', '~가', '~은', '~는' 같은 말과 붙어 있는 말을 살펴보며 '누가'를 찾아보게 지도해 주세요.

❶ 아기가 걸어가요.

❷ 곰이 노래를 불러요.

❸ 예린이가 그림책을 보아요.

따라 읽기

집 짓기 선수, 비버

비버가 튼튼한 이빨로 딱딱한 나무를 잘라요. 비버는 자른 나무를 차곡차곡 모아서 집을 지어요.

원리 콕 누가 나오나요?

비버 / 다람쥐 가 나와요.

1 **비버는 무엇을 모아서 집을 짓나요? 알맞은 것에 색칠하세요.**

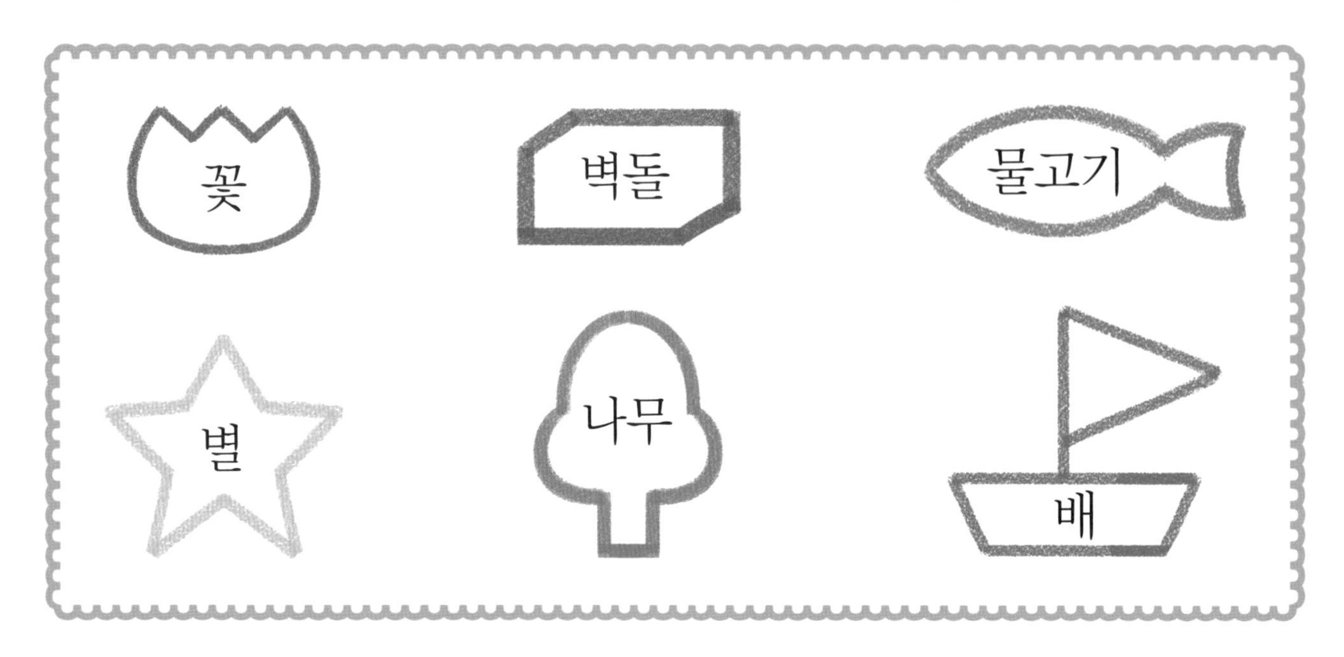

따라 읽기

스컹크가 적*을 만났을 때

스컹크가 몸을 크게 만들고, 발을 탁탁 쳐요.

스컹크가 복슬복슬한 꼬리털을 위로 들어요.

스컹크가 나쁜 냄새를 뿡 내뿜어
적을 물리쳐요.

* 적 사이가 나빠 싸우는 동물.

누가 복슬복슬한 꼬리털을 위로 드나요?

하마 / 스컹크 예요.

2 스컹크가 적을 만났을 때 하는 일에 ○ 하세요.

바위 뒤에
숨어요.

나쁜 냄새를
내뿜어요.

큰 목소리로
노래 불러요.

2일 독해 원리

'무엇을 하는지' 찾기

꿀벌이 빙글빙글 춤춰요.

무엇을 하다

나비가 나풀나풀 날아요.

무엇을 하다

연습 그림을 보고, '무엇을 하는지' 찾아 색칠하세요.

미술 선생님이 | 그림을 그려요.

학부모 TIP 자녀가 문장에서 '누가'를 먼저 찾은 다음 문장의 꼬리 부분을 찾아보게 해 주세요. 자녀가 답을 찾기 어려워하면 "선생님이 무엇을 하고 계시지?"와 같이 물어봐 주세요.

로이가 | 우유를 마셔요.

원숭이가 | 웃고 있어요.

❸

루아가 | 실로폰을 쳐요.

따라 읽기

식물이 벌레를 먹는다고요?

끈끈이주걱은 식물이지만 벌레를 잡아먹어요. 끈끈이주걱이 벌레보다 힘이 세서 그런 것은 아니에요. 끈끈이주걱의 털이 끈끈해서 벌레가 착 달라붙는 거예요.

원리 콕 끈끈이주걱이 무엇을 하나요?

벌레 / 물고기 를 잡아먹어요.

1 끈끈이주걱에 대해 바르게 쓴 비눗방울에 모두 색칠하세요.

동물이에요.

털이 끈끈해요.

벌레가 달라붙어요.

독해 ❷

따라 읽기

자연을 보고 만든 물건

사람들은 자연을 보고 물건을 만들었어요. 하늘을 둥둥 나는 민들레 씨를 보고, 낙하산을 만들었어요. 또 물에서 첨벙첨벙 헤엄치는 오리의 물갈퀴*를 보고, 오리발을 만들었지요.

* **물갈퀴** 발가락 사이에 있는 얇은 막.

원리 콕 사람들은 무엇을 했나요?

자연을 보고 [동물] / [물건] 을 만들었어요.

2 민들레 씨와 오리의 물갈퀴를 보고 만든 것을 찾아 선으로 이으세요.

민들레 씨

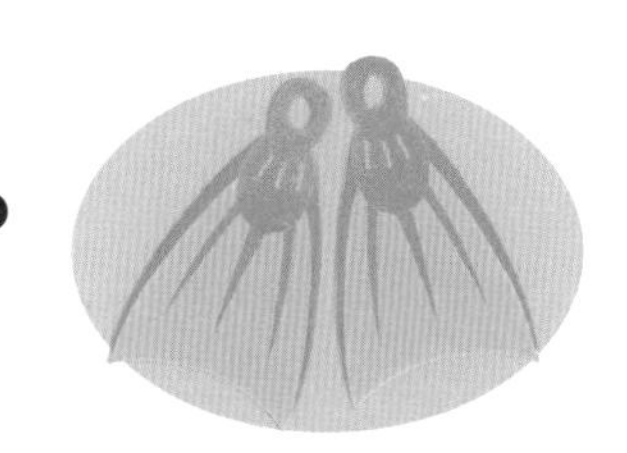

오리발

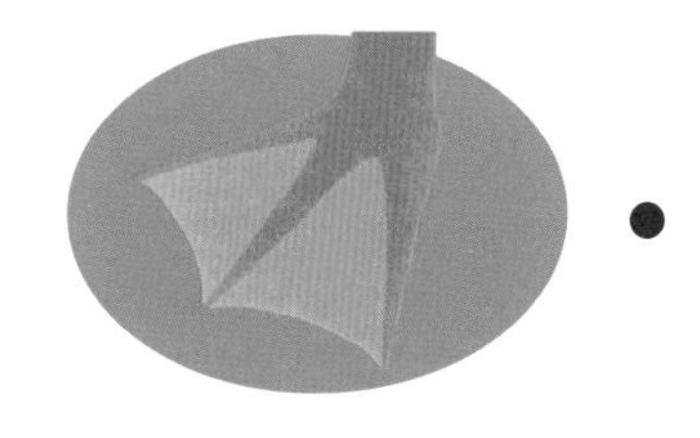

오리의 물갈퀴

낙하산

3일 독해 원리

'언제' 하는지 찾기

봄에 나무에 새 잎이 나요.

언제

여름에 나무는 푸르게 변해요.

가을에 나무는 빨간 옷으로 갈아입어요.

겨울에 나무는 가지만 남아요.

그림을 보고, '언제' 하는지 찾아 색칠하세요.

3월에 | 형이 | 공부했어요.

학부모 TIP 자녀와 함께 문장을 읽어 보면서 자녀가 문장에서 '봄에', '낮에', '어제', '주말에'와 같이 일이 일어난 때(시간)를 나타내는 말을 찾게 해 주세요.

옛날에 | 공주가 | 살았어요.

밤에 | 토끼가 | 눈을 떴어요.

낮에 | 생쥐가 | 시계에 숨었어요.

독해 ❶

따라 읽기

공룡 이야기

공룡은 아주 오래전에 지구에서 살았던 몸집이 큰 동물이에요. 그중에서 가장 큰 공룡은 '아르젠티노사우루스'예요. 아르젠티노사우루스의 몸집은 축구장만큼이나 컸어요.

원리 콕 공룡은 언제 지구에서 살았나요?

올해 봄 / 아주 오래전 에 살았어요.

1 공룡 중에서 가장 몸집이 큰 공룡에 ○ 하세요.

티라노사우루스

파키케팔로사우루스 아르젠티노사우루스

독해 ❷

따라 읽기

비 오는 날

오늘 아침에는 해가 뜨지 않고 비가 왔어요. 예솔이는 비옷을 입고 장화를 신고, 지렁이를 보러 갔어요. 지렁이는 비가 오면 땅 밑에서 숨쉬기가 어려워서 땅 위로 꼭 나타나거든요.

언제 비가 왔나요?

주말 밤 / 오늘 아침 에 왔어요.

2 비 오는 날 볼 수 있는 것을 모두 찾아 ☐에 ○표 하세요.

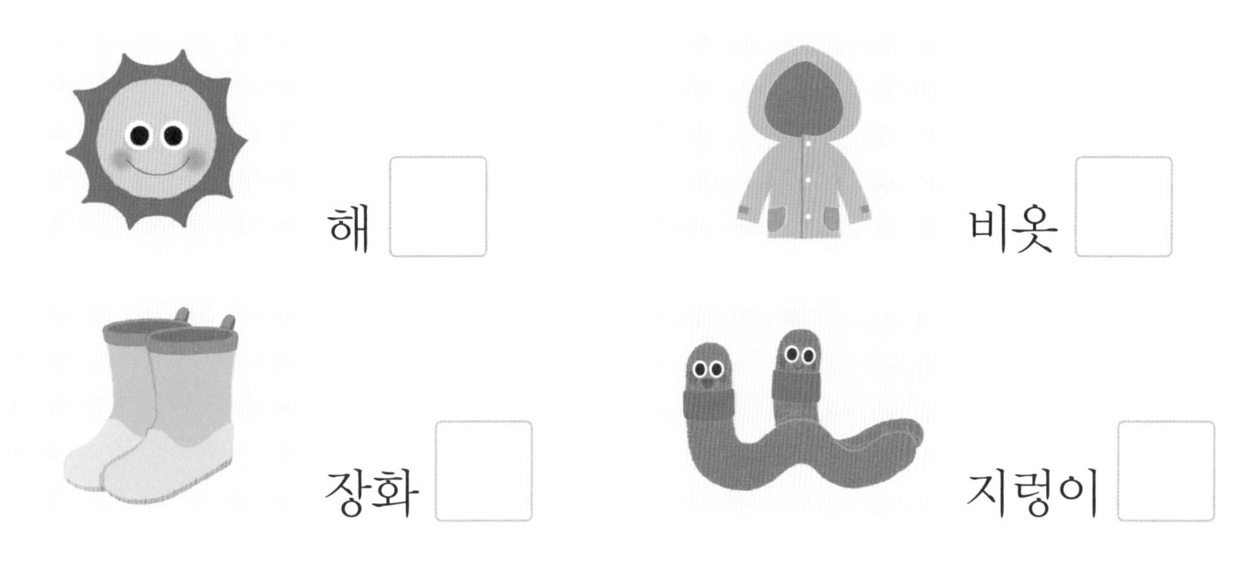

독해 원리

4일 '어디에서' 하는지 찾기

지호가 동물원에서 길쭉길쭉 기린을 보아요.

어디에서

민하가 식물원에서 뾰족뾰족 선인장을 보아요.

어디에서

그림을 보고, '어디에서' 하는지 찾아 색칠하세요.

할아버지가 | 바다에서 | 물고기를 잡아요.

학부모 TIP 자녀와 함께 문장을 읽어 보면서 자녀가 문장에서 '방에서', '백화점에서', '유치원에서'와 같이 일이 일어난 곳(장소)을 나타내는 말을 찾도록 도와주세요.

❶

엄마가 | 마트에서 | 물건을 담아요.

❷

지아가 | 놀이터에서 | 그네를 타요.

❸

우주가 | 길에서 | 코스모스를 보아요.

독해 1

따라 읽기

큰 혹을 가진 낙타

낙타가 사막*에서 천천히 걸어가요. 낙타의 큰 혹에는 기름이 들어 있어요. 낙타는 배고플 때 이 혹에 든 기름을 써요. 그래서 낙타는 먹이가 없어도 사막에서 잘 살 수 있어요.

* **사막** 물이 거의 없고, 모래와 돌로 뒤덮여 있는 땅.

낙타가 어디에서 걸어가나요?

사막 / 운동장 에서 걸어가요.

1 낙타는 왜 사막에서 잘 살 수 있나요? 답에 밑줄을 그으세요.

예쁜 날개가 있어서

코가 쑥쑥 늘어나서

혹에 기름이 들어 있어서

따라 읽기

물에서 사는 식물

연못에는 넓은 잎 위에 아름다운 꽃을 피우는 연꽃이 살아요. 옛날에 머리 감을 때 썼던 창포도 살고요. 귀여운 개구리밥도 물에 동동 떠서 살아요. 또 강과 바다가 만나는 곳에는 갈대가 모여 살지요.

원리 콕 어디에서 사는 식물을 소개했나요?

땅 / 물 에서 사는 식물을 소개했어요.

2 강과 바다가 만나는 곳에 사는 식물에 ○ 하세요.

독해 원리

5일 '누가 언제 어디에서 무엇을 하는지' 찾기

선우가 | 어린이날에 | 산에서 | "야호!" 외쳐요.

누가 | 언제 | 어디에서 | 무엇을 하다

친구들이 | 7월에 | 바다에서 | 신나게 물놀이를 해요.

누가 | 언제 | 어디에서 | 무엇을 하다

'누가', '무엇을 하는지' 찾아 색칠하세요.

아기가 | 밤에 | 방에서 | 잠을 자요.

학부모 TIP 앞에서 공부한 독해 원리를 먼저 떠올려 보게 해 주세요. 그리고 자녀와 함께 문장을 읽으며 '누가', '무엇을 하는지' 차례대로 하나씩 찾아봐 주세요.

개미가 | 오늘 | 연못에서 | 허둥대요.

진우가 | 지금 | 집에서 | 밥을 먹어요.

3

하마가 | 낮에 | 물에서 | 하품을 해요.

독해 ❶

따라 읽기

바다에서 소금을 얻어요

바다는 소금이 녹아 있어서 짜요. 그래서 옛날부터 어른들은 바다에서 소금을 얻었어요. 햇빛과 바람에 바닷물이 다 날아가게 한 다음에 소금만 남으면 박박 긁어모았어요.

어디에서 소금을 얻었나요?

어른들이 강 / 바다 에서 소금을 얻었어요.

1 이 글을 읽고, 바르게 말한 친구는 누구인가요?

바다에는 설탕이 녹아 있어서 짜요.

보름

바닷물이 다 날아가고 소금만 남으면 긁어모아요.

규민

따라 읽기

산이 우리에게 주는 것

준이와 아빠는 오늘 산에 갔어요.
"준아, 산에서 맑은 공기를 마시니 기분 좋지? 사람들은 산에 있는 나무로 가구를 만들고, 산에서 맛있는 버섯도 캐."
"아빠, 산은 우리에게 많은 것을 주네요."

준이와 아빠는 언제 산에 갔나요?

준이와 아빠는 오늘 / 어제 산에 갔어요.

2 산이 우리에게 주는 것을 생각하며 그림에 알맞게 선으로 이으세요.

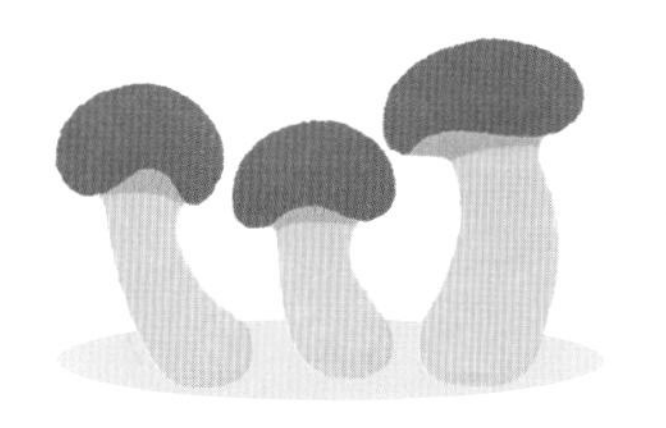 •　　　　• 산에서 맛있는 버섯을 캡니다.

 •　　　　• 산에서 맑은 공기를 마십니다.

 •　　　　• 산에 있는 나무로 가구를 만듭니다.

2주

독해 주제:
나와 우리

위 그림에서 아래의 내용들을 찾아 ○ 하세요.

'어떻게' 하는지 찾기

현우와 지수가 시냇물에서 신나게 물놀이를 해요.

어떻게

나와 친구들이 숲속에서 맛있게 도시락을 먹어요.

어떻게

연습 그림을 보고, '어떻게' 하는지 찾아 색칠하세요.

방을 | 깨끗하게 | 정리했어요.

학부모 TIP '어떻게'는 '어떤 방법으로.' 또는 '어떤 모양으로.'라는 뜻의 말입니다. 자녀와 함께 문장에서 '빠르게', '낮게', '즐겁게'와 같이 '어떻게'를 나타내는 말을 찾아봐 주세요.

비행기가 | 높게 | 떴어요.

가을바람이 | 세차게 | 불어요.

❸

나뭇잎이 | 빨갛게 | 변했어요.

독해 1

따라 읽기

나의 몸

나는 몸의 여러 곳을 통해 즐겁게 세상을 만나요. 눈으로 예쁜 꽃을 보고, 귀로 아름다운 새소리를 들어요. 입으로는 달콤한 아이스크림을 맛보고요. 또 코로 우리 엄마 냄새를 맡지요.

원리 콕 '나'는 어떻게 세상을 만나나요?

몸의 여러 곳을 통해 [슬프게] / [즐겁게] 만나요.

1 이 글에서 알맞은 몸의 이름을 찾아 빈칸에 쓰세요.

[   ]로 아름다운 새소리를 들어요.

[   ]으로 달콤한 아이스크림을 맛보아요.

독해 ❷

따라 읽기

이가 빠져요

아기일 때 처음으로 나는 이는 '젖니'예요. 일곱 살이 되면 젖니가 하나씩 천천히 빠지기 시작해요. 그리고 젖니가 있던 자리에는 튼튼한 '영구치*'가 새로 나요.

* 영구치 젖니가 빠진 뒤에 나는 이.

원리 콕 젖니는 어떻게 빠지나요?

하나씩 천천히 / 빨리 빠져요.

2 젖니와 영구치가 무엇인지 알맞게 선으로 이으세요.

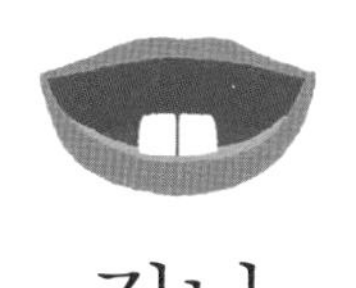

젖니 • • 아기일 때 처음으로 나는 이

영구치 • • 젖니가 있던 자리에 새로 나는 이

2일

독해 원리

'왜' 하는지 찾기

아빠는 너무 피곤해서 낮잠을 쿨쿨 주무셨어요.

왜

엄마는 우리가 사이좋게 놀아서 칭찬해 주셨어요.

왜

연습 그림을 보고, '왜' 하는지 찾아 색칠하세요.

오빠가	배가 아파서	병원에 가요.

학부모 TIP '왜'는 '무슨 까닭으로.' 또는 '어째서.'라는 뜻의 말입니다. 자녀가 문장에서 '~해서' 또는 '~하려고'와 같이 '왜'를 나타내는 말을 찾아보도록 지도해 주세요.

유리창이	공에 맞아서	깨졌어요.

준우가	풍선을 잡으려고	손을 뻗어요.

나무가	비가 많이 와서	물에 잠겼어요.

독해 1

따라 읽기

사랑하는 할머니께

할머니, 생신*을 축하합니다. 할머니가 맛있는 음식을 많이 만들어 주셔서 저는 행복해요. [   ] 선물로 꼭 안아 드릴게요. 할머니, 건강하세요.

– 소희 드림

* **생신** 어른의 태어난 날.

원리 콕 이 글을 쓴 소희는 왜 행복한가요?

할머니 / 할아버지 가 맛있는 음식을 많이 만들어 주셔서 행복해요.

1 이 글의 [   ]에 들어갈 말은 무엇일까요? 답을 찾아 따라 쓰세요.

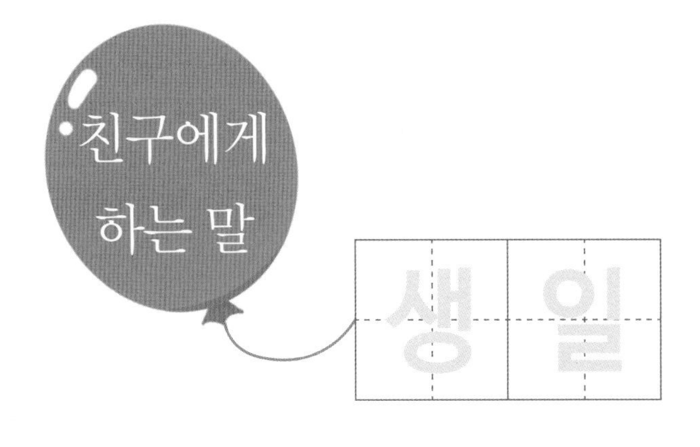

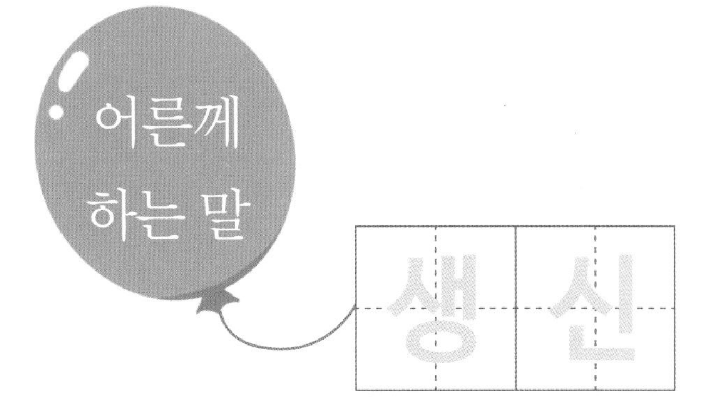

독해 ❷

따라 읽기

누가누가 닮았나

내 큰 눈은 엄마를 닮았어요. 내 동생의 짙은 눈썹은 아빠를 닮았고요. 그런데 엄마와 아빠는 또 엄마와 아빠의 부모님을 닮았어요.

우리는 한 가족이어서 서로 닮았어요.

우리는 왜 서로 닮았나요?

한 가족이어서 / 한동네에 살아서 서로 닮았어요.

2 내 동생의 짙은 눈썹은 누구를 닮았는지 선으로 이으세요.

내 동생

아빠

엄마

3일 독해 원리

'왜', '어떻게' 하는지 찾기

희철이는 지희를 놀라게 하려고 살금살금 걸어갔어요.

왜 어떻게

다희와 재석이는 건강해지려고 부지런히 줄넘기를 해요.

왜 어떻게

그림을 보고, '왜', '어떻게' 하는지 모두 찾아 색칠하세요.

희수가 | 늦잠을 자서 | 깜짝 | 놀랐어요.

학부모 TIP 자녀가 문장에서 누가 무엇을 하는지부터 찾아보게 해 주세요. 그런 다음에 등장인물이 '왜' 그랬는지, '어떻게' 했는지 하나씩 찾아보게 지도해 주세요.

❶

태우는 | 갑자기 넘어져서 | 많이 | 아팠어요.

❷

송이가 | 친구와 함께 놀아서 | 정말 | 즐거워요.

독해 ❶

따라 읽기

소개합니다

나는 송하율입니다. 나는 물감으로 그림 그리는 걸 좋아해요. 나는 화가가 되려고 열심히 그리기 연습을 해요.

내 친구는 장범준입니다. 범준이는 노래를 신나게 불러요. 범준이는 커서 멋진 가수가 되고 싶대요.

원리 콕 '나'는 왜, 어떻게 그리기 연습을 하나요?

나는 화가 / 가수 가 되려고 대충 / 열심히 그리기 연습을 해요.

1 '나'의 친구를 알맞게 설명한 것을 모두 찾아 □에 ○표 하세요.

- 이름은 장범준 입니다. □
- 멋진 가수가 되고 싶어 합니다. □
- 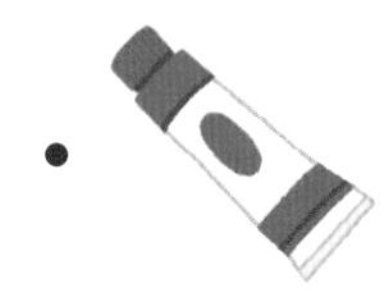 물감으로 그림 그리는 걸 좋아합니다. □

따라 읽기

꼬리를 잡아라

오늘 꼬리잡기를 했다. 민희가 맨 앞에 서고, 나는 꼬리가 되었다. 나는 민희에게 잡히지 않으려고 빠르게 도망쳤다.

후다닥 뛰어다니느라 힘들었지만 정말 재미있었다.

원리 콕 '나'는 왜, 어떻게 도망쳤나요?

나는 형 / 민희 에게 잡히지 않으려고
빠르게 / 느릿느릿 도망쳤어요.

2 꼬리잡기를 한 '나'의 기분을 찾아 ○ 하세요.

너무 답답해서 싫었어요.

힘들었지만 재미있었어요.

꼬리잡기에서 져서 슬펐어요.

독해 원리

4일 '누구에게' 또는 '무엇으로' 찾기

주아가 엉엉 울고 있는 동생에게 휴지를 주어요.

누구에게

선생님과 주호가 아주 큰 선물 상자의 뚜껑을 손으로 열었어요.

무엇으로

그림을 보고, '누구에게' 또는 '무엇으로'를 찾아 색칠하세요.

| 아빠가 | 서진이에게 | 새 로봇을 보여 주셨어요. |

학부모 TIP 문장을 조금 더 자세히 이해하는 연습입니다. 먼저, 자녀가 문장에서 누가 누구에게 어떤 일을 하는지 찾아보게 해 주세요. 그리고 자녀가 문장에서 누가 무엇으로 어떤 일을 하는지도 살펴보게 해 주세요.

❶

| 민규가 | 연필로 | 글을 써요. |

❷

| 하리가 | 동생에게 | 뽀뽀해요. |

❸

| 엄마가 | 빗으로 | 내 머리를 빗어 줘요. |

따라 읽기

동네 한 바퀴

동이가 길을 가다 옆집에 사는 우진이를 만나요. 그리고 아름다운 꽃을 파는 꽃집 아주머니도 만나요. 편지를 전해 주는 우체부 아저씨도 만나고요. 동이가 활짝 웃으며 이웃에게 이렇게 인사를 해요.

원리 콕 동이가 누구에게 인사를 하나요?

이웃 / 친척 에게 인사를 해요.

1 동이가 꽃집 아주머니에게 해야 할 인사말에 ○ 하세요.

따라 읽기

도움을 받으며 살아요

우리는 여러 사람의 도움으로 편하고 안전하게 살아요. 소방관은 불이 나면 달려와 불을 꺼 주고, 경찰관은 밤낮으로 동네를 지켜 주어요. 또 의사는 아픈 사람을 치료해 주고, 선생님은 어린이를 사랑으로 돌봐줘요.

원리 콕

우리는 무엇으로 편하고 안전하게 사나요?

여러 사람의 방해로 / 도움으로 편하고 안전하게 살아요.

2 다음 일을 하는 사람은 누구인지 찾아 선으로 이으세요.

선생님

의사

소방관

경찰관

독해 원리

문장 부호 알기

배가 부웅부웅 소리 내요 . 문장을 끝낼 때

갈매기를 가까이에서 보니 신기하네요 !

느낌을 나타낼 때

"무슨 생각을 하고 있니 ? " 물어볼 때

"할머니 , 산이 뒤로 가는 것 같아요."

부르거나 대답할 때

연습 네모 칸에 쓰여 있는 문장 부호를 따라 쓰세요.

맛있게 잘 먹겠습니다 .

학부모 TIP 문장 부호에는 마침표(.), 느낌표(!), 물음표(?), 쉼표(,) 등이 있습니다. 문장 부호는 문장의 뜻을 이해하기 쉽게 도와줍니다. 자녀가 문장 부호의 이름을 외우지는 않더라도 문장 부호의 쓰임을 잘 이해하고 쓰도록 알려 주세요.

1 

영현아 , 축하해 !

2 

친구와 나란히 걸어가요 .

3 

할아버지, 안녕히 주무셨어요 

독해 1

따라 읽기

아나바다 장터로 오세요

'아나바다 장터'는 물건을 아껴 쓰고, 나눠 쓰고, 바꿔 쓰고, 다시 쓰기 위해 생긴 시장이에요. 작아서 못 입는 옷이나 다 읽은 책을 아나바다 장터에서 싸게 팔 수 있어요. 또 내가 필요한 물건과 바꿀 수 있어 참 좋아요!

네모 칸에 알맞은 문장 부호는 무엇인가요?

내가 필요한 물건과 바꿀 수 있어 참 좋아요 [,] / [!]

1 아나바다 장터의 좋은 점에 ○ 하세요.

새 장난감을 비싸게 많이 살 수 있어요.

쓰던 물건을 내가 필요한 물건과 바꿀 수 있어요.

독해 ❷

따라 읽기

까치밥을 남겨 두어요

가을이 되면 우리 가족은 감나무에 주렁주렁 열린 감을 따요.

"엄마, 왜 감을 다 따지 않나요?"

"까치밥을 주는 거야. 까치밥은 옛날부터 배고픈 까치에게 주려고 몇 개 남겨 두는 감이란다."

원리 콕 네모 칸에 알맞은 문장 부호는 무엇인가요?

가을이 되면 우리 가족은 감나무에 주렁주렁 열린 감을 따요 . / ?

2 까치밥은 무엇인지 찾아 ○ 하세요.

빨갛게 익은 사과

까치가 좋아하는 쌀밥

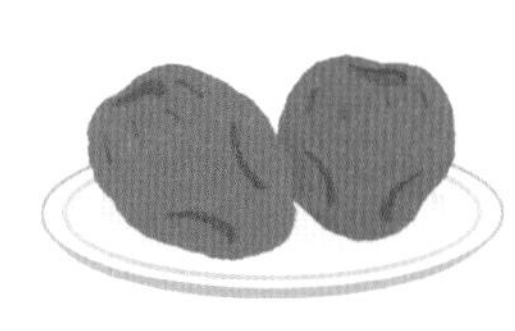

감 껍질을 벗겨 말린 곶감

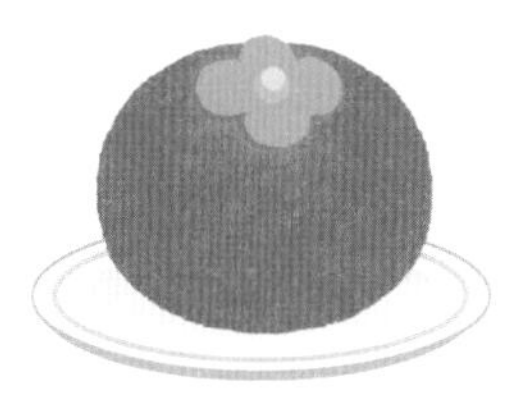

까치에게 주려고 남겨 두는 감

3주

독해 주제:
규칙과 약속

위 그림에서 아래의 내용들을 찾아 ○ 하세요.

1일

독해 원리

낱말의 뜻 알기

엘리베이터 문에 기대거나 쿵쿵 뛰지 않도록 주의해요.

뜻: 조심하여 미리 준비해요.

버스를 탈 때 줄을 서서 차례를 지키며 하나, 둘 계단을 올라가요.

뜻: 순서대로 하나씩.

다음 뜻을 가진 낱말을 찾아 밑줄을 그으세요.

뜻: 남의 일이 제대로 되지 못하게 막음.

크게 떠들면 친구가 공부하는 데 방해가 돼요.

학부모 TIP 문장에서 어려운 낱말이 나오면 문장의 앞뒤 내용이나 그림을 보고 낱말 뜻을 짐작하게 지도해 주세요. 또 자녀와 함께 국어사전을 찾아보고 뜻을 알아봐도 좋습니다.

❶ **뜻**: 세게 부는 바람.

태풍이 오는 날 바깥에 나가면 위험해요.

❷ **뜻**: 산·들·집이나 물건이 불에 타는 것.

오늘 우리 동네 뒷산에 큰 화재가 났어요.

독해 ❶

따라 읽기

놀이 기구 이용 규칙

미끄럼틀에 거꾸로 올라가지 말아요.

시소는 자리에 똑바로 앉아서 친구와 함께 타요.

그네는 두 손으로 양쪽 줄을 잡고 천천히 앞뒤로 오고 가며 타요.

원리 콕 '여러 사람이 다 같이 지키기로 정한 것.'을 뜻하는 낱말은 무엇인가요?

규칙 / 양쪽 이에요.

1 이 글은 어디에서 지켜야 할 규칙인지 ○ 하세요.

교실

놀이터

화장실

따라 읽기

안전하게 킥보드를 타요

킥보드를 탈 때는 안전모를 쓰고 무릎 보호대, 팔꿈치 보호대를 꼭 하세요. 그리고 기울어진 길이나 주차장, 찻길 주변에서는 킥보드를 타지 마세요. 특히 횡단보도에서는 킥보드에서 내려서 킥보드를 끌고 건너야 해요.

원리 콕 '차가 다니는 길.'을 뜻하는 낱말은 무엇인가요?

안전 / 찻길 이에요.

2 킥보드를 바르게 탄 친구를 찾아 ◯ 하세요.

독해 원리

2일 반대말 알기

아파서 방 안에만 있다가 다 나아서 밖으로 나갔어요.

뜻이 반대인 반대말

낮에 체조를 열심히 하고, 밤에 일찍 자면 키가 쑥쑥 커요.

뜻이 반대인 반대말

연습 파란색 낱말의 반대말을 찾아 색칠하세요.

아이스크림을 많이 먹으면 배탈이 나기 쉬워요.

기뻐요

어려워요

학부모 TIP 문장에서 여러 낱말의 뜻부터 먼저 알게 해 주세요. 그런 다음 자녀가 낱말의 뜻이 서로 반대 관계에 있는 말(예: 남자-여자, 작다-크다, 오다-가다)을 생각해 보게 해 주세요.

❶ 차가운 바다에 들어가기 전에 준비 운동을 해요.

매운

뜨거운

❷ 꽁꽁 언 얼음 위는 미끄러우니 장난치지 마세요.

앞

아래

따라 읽기

튼튼해지고 싶나요?

원리 콕 이 글에서 '나빠져요'의 반대말을 찾아보세요.

먹어요 / 좋아져요 예요.

1 이 글이 전하는 내용을 찾아 색칠하세요.

독해 ❷

따라 읽기

식사 예절*을 지켰으면

민이가 김밥을 한입 가득 넣고 우걱우걱 씹어요. 하나씩 천천히 먹어야 하는데 말이죠. 솔이가 혼자 케이크를 다 먹으려 해요. 친구와 나누어 먹어야 하는데 말이죠. 훈이가 음식을 먹으며 여기저기 다녀요. 한 곳에 앉아서 먹어야 하는데 말이죠.

* **예절** 지켜야 하는 바른 말씨와 몸가짐.

이 글에서 '함께'의 반대말을 찾아보세요.

혼자 / 여기저기 예요.

2 식사 예절을 바르게 지키는 모습에 모두 ○ 하세요.

뛰어다니며 먹어요.

하나씩 천천히 먹어요.

친구와 나누어 먹어요.

독해 원리

가리키는 말 알기

다른 사람과 함께 영화를 보는 영화관이에요.

이곳 에서 의자를 발로 탁탁 차면 안 돼요.

영화관을 가리키는 말

우리 집은 5층이에요. 여기 에서 통통통 공 놀이를 하면 아래층에 사는 이웃이 힘들어요.

우리 집을 가리키는 말

그림을 보고 파란색 낱말이 가리키는 것을 찾아 색칠하세요.

"이것을 잡고 계단을 천천히 오르내려요."

밧줄

손잡이

학부모 TIP 문장에서 '저희', '그것', '여기'와 같이 사람, 물건, 장소를 가리키는 말을 다양하게 찾아보는 활동입니다. 자녀가 무엇을 가리키는 말인지 그림을 보고 바르게 알게 해 주세요.

❶ "엄마는 너희를 제일 사랑한단다."

어른들

아이들

❷ "찬바람이 많이 부는데 저기를 좀 닫아 줄래?"

창문

현관문

독해 ❶

따라 읽기

표지판이 말합니다

음식을 먹지 마세요.

여기에 쓰레기를 버리세요.

위험할 때 이곳으로 나가요.

원리 콕 '여기'가 가리키는 것은 무엇인가요?

화장실 / 쓰레기통 이에요.

1 도서관에서 바르게 행동한 친구는 누구인가요?

따라 읽기

들꽃이 아파요

푸리반 친구들, 들꽃을 꺾지 마세요. 들꽃이 엉엉 울며 아파해요.

살아 있는 들꽃을 지키려면 들에서 눈으로만 보아요. 그래도 가지고 싶으면 그곳에서 예쁘게 사진을 찍어 와 보아요.

원리 콕 '그곳'은 어디인가요?

들꽃이 있는 [들 / 하늘]이에요.

2 들꽃을 지키는 방법은 무엇인가요? 알맞은 것에 ◯ 하세요.

들꽃을 꺾지 말고,
눈으로만 보아요.

예쁜 들꽃을 꺾어서
집으로 가져가요.

독해 원리

4일 꾸며 주는 말 알기

넓은 수영장에서 튼튼한 튜브를 타고 신나게 물놀이를 해요.

튜브를 꾸며 주는 말

수영장을 꾸며 주는 말

햇볕을 꾸며 주는 말

뜨거운 햇볕을 오래 쬐면 몸이 아프기 쉬워요. 시원한 물을 많이 마시는 게 좋아요.

물을 꾸며 주는 말

연습 꾸며 주는 말을 찾아 색칠하세요.

길에 | 노란 | 개나리가 | 피었어요.

학부모 TIP 문장에서 '예쁜', '거센', '하얀' 등과 같이 뒤에 오는 말을 자세히 나타내는 말이 꾸며 주는 말입니다. 자녀가 꾸며 주는 말을 찾기 어려워하면 "어떤 개나리가 피었어?"와 같이 구체적으로 물어봐 주세요.

1

여름에 | 달콤한 | 수박을 | 먹어요.

2

길쭉한 | 옥수수로 | 하모니카를 | 불어요.

따라 읽기

감기 벌레, 저리 가!

밖에서 돌아온 태윤이가 더러운 손으로 밥을 먹어요. 태윤이 손에 있던 감기 벌레가 바로 코와 입으로 들어가요. 태윤이의 코에서 콧물이 줄줄! 입에서 기침이 콜록콜록 나와요!

감기 벌레를 물리치려면 몸을 구석구석 깨끗하게 씻어야 해요.

태윤이가 어떤 손으로 밥을 먹나요?

깨끗한 / 더러운 손으로 먹어요.

1 태윤이가 감기 벌레를 물리치기 위해 해야 할 일에 모두 ○ 하세요.

손 씻기

하품하기

목욕하기

독해 ❷

따라 읽기

때에 맞는 옷

소중한 우리 몸을 보호하려면 때에 맞는 옷을 입어야 해요.

햇빛이 쨍쨍, 더운 날에는 짧은 옷과 샌들로 몸을 시원하게 해요. 눈이 펑펑, 추운 날에는 털옷과 털모자로 몸을 따뜻하게 해요. 그리고 친구와 씽씽, 운동하는 날에는 운동복과 운동화로 몸이 다치지 않게 해요.

더운 날에는 어떤 옷으로 몸을 시원하게 하나요?

짧은 / 두꺼운 옷으로 시원하게 해요.

2 추운 날에 옷을 바르게 입은 친구는 누구인가요?

현아

수호

민지

독해 원리

순서를 나타내는 말 알기

첫 번째 순서를 나타내는 말

하나, 도로 신호등에 초록 불이 켜졌는지 보아요.

두 번째 순서를 나타내는 말

둘, 오른쪽과 왼쪽을 살펴보고 차가 멈춰 섰는지 확인해요.

세 번째 순서를 나타내는 말

셋, 손을 하늘을 향해 들고 횡단보도를 조심해서 건너요.

연습 순서를 나타내는 말을 모두 찾아 밑줄을 그으세요.

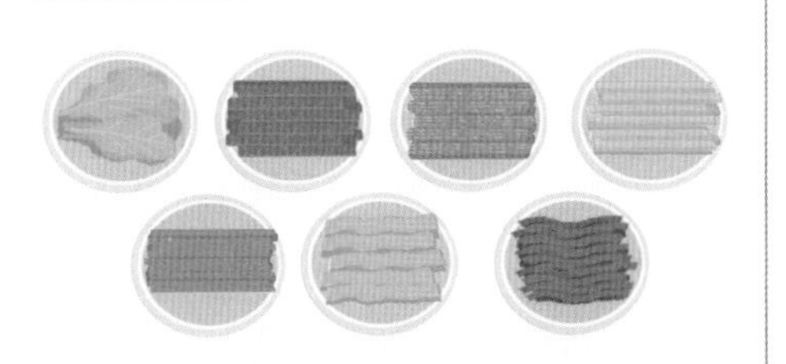

먼저, 김밥에 들어갈 것을 준비해요.

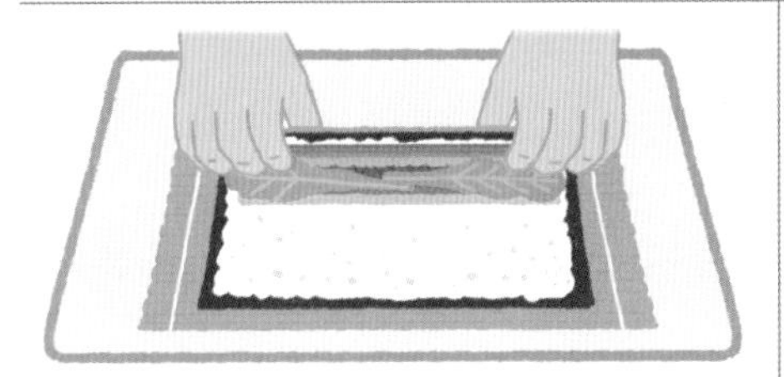

다음으로, 달걀, 햄, 단무지 등 준비한 것을 넣고 돌돌 말아요.

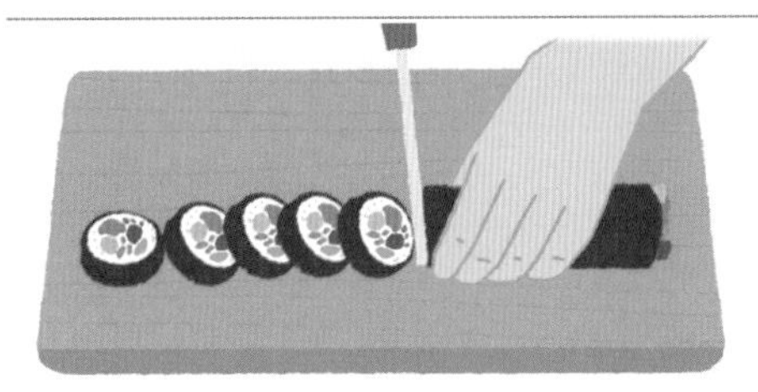

끝으로, 김밥을 먹기 좋게 썰어서 그릇에 담아요.

학부모 TIP 문장에서 '첫째', '둘째', '먼저', '다음에'와 같은 순서를 나타내는 말을 찾는 활동입니다. 자녀가 순서를 나타내는 말을 알고, 일의 앞뒤 순서까지 잘 이해하도록 알려 주세요.

첫째, 칫솔에 치약을 알맞게 짜요.

둘째, 칫솔로 이를 구석구석 닦아요.

셋째, 물로 입을 깨끗하게 헹궈요.

따라 읽기

지구를 사랑하는 어린이 여러분

먼저, 지구를 위해 지구의 날 '4월 22일'을 기억해 주세요. 그다음, 4월 22일 저녁 8시부터 10분 동안 집 안의 모든 불을 꺼 주세요.

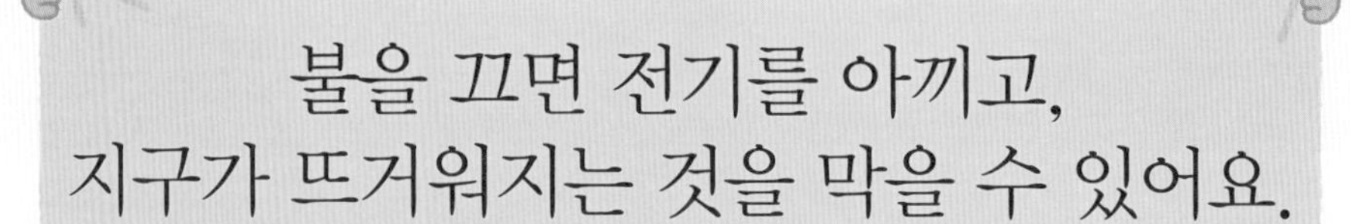

원리 콕 순서를 나타내는 말은 무엇인가요?

여러분 / 그다음 이에요.

1 지구의 날 '4월 22일'에 무엇을 하자고 했는지 ◯ 하세요.

저녁 8시에 불 켜기

10분 동안 모든 불 끄기

걸어서 지구를 여행하기

따라 읽기

일회용품을 멀리합시다

일회용품은 한 번 쓰면 버리는 물건이에요. 일회용품이 썩는 데는 십 년이 넘게 걸려서 많이 쓰면 지구가 더러워져요. 일회용품을 멀리하려면

첫째, 휴지 대신 손수건을 사용해요.

둘째, 비닐봉지 대신 장바구니를 써요.

셋째, 종이컵 대신 물통을 들고 다녀요.

순서를 나타내는 말은 무엇인가요?

첫째 / 장바구니 예요.

2 다음 친구들이 설명한 이것은 무엇일까요? 답을 쓰세요.

이것은 한 번 쓰면 버리는 물건이에요.

이것을 많이 쓰면 지구가 더러워져요.

이것을 멀리 하려면 휴지 대신 손수건을 써요.

□□□□□□□□ 입니다.

4주

독해 주제:
즐길 거리

위 그림에서 아래의 내용들을 찾아 ○ 하세요.

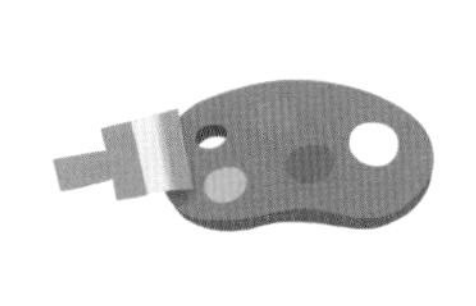

1일 독해 원리

설명하는 것 알기

시장 놀이 는 물건을 사고파는 놀이예요. 시장 놀이를 하면 장 보는 재미가 솔솔 나요.

설명하는 것

수수께끼 는 묻고 알아맞히는 놀이예요. 수수께끼를 하면 답을 마음껏 상상해 볼 수 있어요.

설명하는 것

설명하는 것을 찾아 색칠하세요.

아이스크림 은 프랑스 요리사 가 달걀 노른자 를 더해 부드럽게 만들었어요.

학부모 TIP 자녀가 글을 읽고, 글에서 무엇의 특징을 설명하는지 찾아보게 해 주세요. 특징에는 모양, 크기, 소리부터 색깔이나 움직임, 생긴 과정 등이 모두 포함됩니다.

이글루 는 얼음과 눈덩이 로 만든, 에스키모가 사는 집이에요.

2

바람개비 는 바람 이 불면 팔랑팔랑 돌아가는 놀잇감이에요.

3

반려동물 은 사람들이 좋아해서 가까이 두고 기르는 동물이에요.

독해 ❶

따라 읽기

끝말잇기

끝말잇기를 할 때 시작하는 사람이 하나의 낱말을 말해요.

앞사람이 말한 낱말의 끝 글자로 시작하는 낱말을 말해요.

같은 방법으로 계속 이어 가며 끝말잇기를 해요.

이 글에서 설명하는 것은 무엇인가요?

숨바꼭질 / 끝말잇기 입니다.

1 끝말잇기를 하는 방법에 맞게 빈칸에 알맞은 낱말을 쓰세요.

따라 읽기

공으로 하는 운동

야구, 축구, 농구는 공으로 하는 운동이에요. 야구는 방망이로 공을 치고 달리는 운동이에요. 축구는 골대*에 공을 차서 넣는 운동이죠. 또 농구는 골대에 공을 던져 넣는 운동이에요. 야구, 축구, 농구공 중에 야구공이 제일 작고, 농구공이 제일 커요.

* 골대 공을 넣는 곳.

이 글에서 설명하는 것은 무엇인가요?

공 / 곰 으로 하는 운동이에요.

2 축구를 하는 친구는 누구인지 ◯ 하세요.

독해 원리

설명하는 것의 같은 점 찾기

동물과 식물은 음악을 들으면 쑥쑥 더 잘 자라나요.

동물과 식물의 같은 점

장구와 북, 실로폰은 채로 통통 두드려서 소리를 내는 악기예요.

장구, 북, 실로폰의 같은 점

연습 설명하는 것의 같은 점을 찾아 밑줄을 그으세요.

호른과 트럼펫은 있는 힘껏 불어야 소리가 나요.

학부모 TIP 자녀가 글에서 설명하는 대상 두 개를 먼저 찾게 해 주세요. 그런 다음 자녀가 설명하는 대상 두 개가 모두 가지고 있는 공통된 특징을 알아보게 해 주세요.

❶

의자, 종이, 연필은 나무로 만들어요.

❷

두유, 청국장, 두부는 콩이 들어간 음식이에요.

따라 읽기

엄마, 뮤지컬이 뭐예요?

뮤지컬은 '노래와 춤을 합친 음악 연극' 이야. 연극과 뮤지컬은 배우가 나와서 말과 행동을 해. 그런데 뮤지컬은 배우가 말뿐만 아니라 노래 부르고 춤추며 이야기를 전해. 요즘 〈번개맨〉, 〈보물섬〉 같은 어린이를 위한 뮤지컬도 인기가 많아.

원리 콕 연극과 뮤지컬의 같은 점은 무엇인가요?

연극과 뮤지컬에서 물건이 / 배우가 말을 해요.

1 뮤지컬을 바르게 설명한 것에 밑줄을 그으세요.

노래와 춤을 합친 음악 연극이에요.

어른을 위해 노래만 부르는 연극이에요.

독해 ❷

따라 읽기

닮은 듯 다른 악기

오늘 소개할 악기는 기타와 우쿨렐레예요. 기타와 우쿨렐레는 줄을 튕겨 소리를 내요. 모양도 닮았지요. 그런데 기타는 줄이 여섯 개인데, 우쿨렐레는 줄이 네 개이고 기타보다 크기도 작아요. 우쿨렐레는 하와이의 대표 악기랍니다.

원리 콕 기타와 우쿨렐레의 같은 점은 무엇인가요?

줄 / 버튼 을 튕겨 소리를 내요.

2 이것은 무엇일까요? 답을 찾아 색칠하세요.

- 이것은 줄이 네 개예요.
- 이것은 줄을 튕겨 소리를 내요.
- 이것은 하와이의 대표 악기예요.

기타

우쿨렐레

3일 독해 원리

설명하는 것의 다른 점 찾기

가위는 동그랗게 오릴 때 써요. 칼은 똑바로 자를 때 써요.

가위와 칼의 다른 점

크레파스는 물을 섞지 않고 사용해요. 물감은 붓으로 물을 섞어서 사용해요.

크레파스와 물감의 다른 점

연습 설명하는 것의 다른 점을 찾아 밑줄을 그으세요.

사인펜은 한 번 쓰면 잘 지워지지 않아요. 연필은 지우개로 지울 수 있어요.

학부모 TIP 글에서 설명하는 대상 두 개를 먼저 찾습니다. 그런 다음, "사인펜은 어때?", "그럼 연필은 어떻고?"와 같이 질문해 주시면 자녀가 설명하는 대상이 각각 가진 특징을 찾기 더 쉬워집니다.

1

은행나무 잎은 부채처럼 생겼어요. 소나무 잎은 바늘처럼 생겼어요.

2

짚으로 지은 집은 바람에 날아가기 쉬워요. 벽돌로 지은 집은 바람에 날아가지 않아요.

독해 ❶

따라 읽기

동굴 벽화*

아주 먼 옛날에 살았던 사람들도 그림을 그렸어요. 오늘날에는 종이와 붓이 있지만 옛날에는 종이도 붓도 없었어요. 그런데 어떻게 그림을 그렸을까요? 옛 사람들은 동굴 벽에 크고 날카로운 동물 뼈로 그림을 그렸어요. 이것이 '동굴 벽화'예요. 동물이나 사람이 다양하게 그려져 있어요.

* **벽화** 벽에 그린 큰 그림.

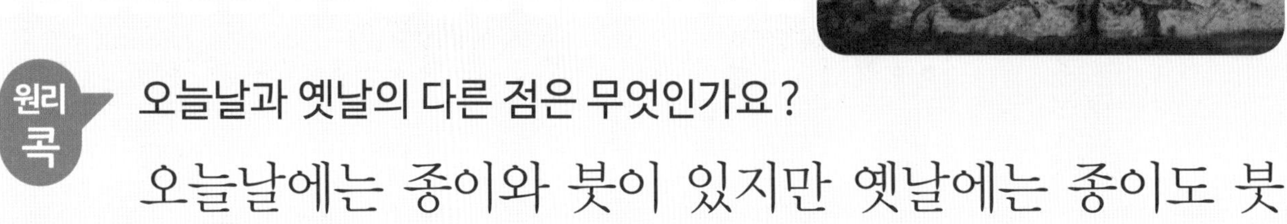

원리 콕

오늘날과 옛날의 다른 점은 무엇인가요?

오늘날에는 종이와 붓이 있지만 옛날에는 종이도 붓도 [있었어요 / 없었어요].

1 아주 먼 옛날에 살았던 사람이 그림 그릴 때 사용한 것에 ○ 하세요.

종이, 붓

바위, 크레파스

동굴 벽, 동물 뼈

따라 읽기

두 가지 색깔을 섞으면 돼

큰일났어요! 설아가 초록색, 보라색 물감을 집에 두고 왔어요. 그때 미술 선생님이 말씀하셨어요.

"설아야, 다른 색 물감으로 초록색과 보라색 물감을 만들어 보자. 노란색과 파란색을 섞으면 초록색이 돼. 빨간색과 파란색을 섞으면 보라색이 되고. 참 신기하지?"

원리 콕 초록색과 보라색을 만드는 방법은 어떻게 다른가요?

노란색과 파란색을 섞으면 초록색이 되고, 초록색 / 빨간색 과 파란색을 섞으면 보라색이 돼요.

2 신호등에 초록색을 칠할 때 섞어야 하는 물감 두 가지에 ◯ 하세요.

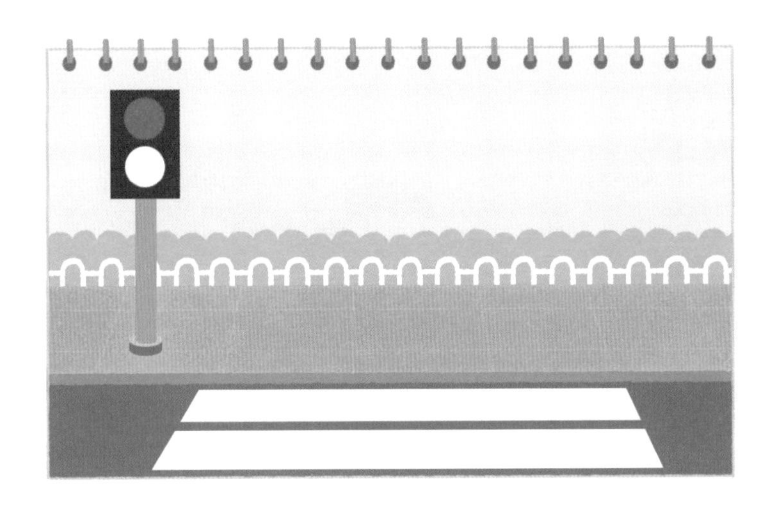

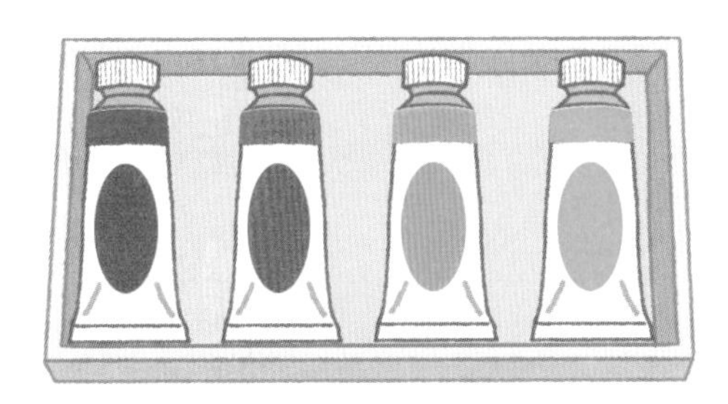

독해 원리

하고 싶은 말 찾기

사랑하는 엄마와 아빠께

수영을 꾸준히 하면 몸이 튼튼해진대요. 어푸어푸 멋지게 수영하는 방법을 알려 주세요.

하고 싶은 말

안녕하세요? 크리스마스 행사를 준비했어요. 부모님과 함께 꼭 참여해 주세요.

하고 싶은 말

때: 12월 20일 저녁 6시

곳: 해님 유치원

밑줄 그은 부분은 글쓴이가 하고 싶은 말입니다. 따라 읽어 보세요.

저는 훌륭한 피아니스트가 되고 싶어요. 피아니스트가 되려면 날마다 피아노 연습을 해야 한대요.

학부모 TIP 글을 쓴 사람이 읽는 사람에게 어떤 내용을 전하고 싶어서 글을 썼을지 자녀 스스로 알아보게 해 주세요. 글을 쓴 사람이 원하는 것이 무엇인지를 생각해 보면 답을 쉽게 찾을 수 있습니다.

텔레비전을 끄고 책을 읽으세요. 책을 읽으면 재미있고, 새로 아는 것이 많아져요.

❷

동물 친구들을 괴롭히지 마세요. 돌을 던지거나 크게 소리치면 동물 친구들이 깜짝 놀라요.

❸

자기가 할 일은 스스로 해요. 신발장에 신발을 가지런히 넣어요. 또 사물함에 가방을 쏙 넣어 볼까요?

독해 ❶

따라 읽기

초대합니다

발레리나와 발레리노*를 꿈꾸는 어린이 여러분!

발레 〈백조의 호수〉를 보러 오세요. 음악이 흐르는 무대에서 백조처럼 아름답게 춤추는 발레리나, 발레리노를 만날 수 있어요.

언제: 10월 10일 낮 3시

어디에서: 서울시 행복구 문화센터

* **발레리나와 발레리노** 발레하는 여자와 남자.

이 글에서 하고 싶은 말은 무엇인가요?

"〈백조의 호수〉를 [보지 마세요 / 보러 오세요]."

1 **〈백조의 호수〉는 언제 어디에서 볼 수 있는지 선으로 이으세요.**

언제 •		• 10월 10일 낮 3시
어디에서 •		• 서울시 행복구 문화센터

따라 읽기

팡팡 트램펄린

차, 인형, 블록…… 이제 지겨운가요?
튼튼하고 넓은 팡팡 트램펄린을 타 보세요.
하늘을 나는 새처럼 높이 나는 기분이 들어요.
다리 튼튼, 키 쑥쑥!
놀이와 운동을 함께 해요.

원리 콕 이 글에서 하고 싶은 말은 무엇인가요?

"팡팡 트램펄린을 [타 보세요 / 고쳐 쓰세요]."

2 팡팡 트램펄린을 타면 좋은 점을 말한 동물에 ○ 하세요.

높이 나는 기분이 들어.	온 세상을 여행할 수 있어.	블록을 높이 쌓을 수 있어.

독해 원리

알맞은 제목 생각하기

나라마다 인사하는 방법이 달라요. 티베트에서는 혀를 쏙 내밀며 인사해요. 하와이에서는 볼을 비비며 인사하지요.

'나라별 인사법'이 제목으로 좋겠어.

오늘 체험 학습을 다녀왔어요. 친구들과 공놀이와 비눗방울 놀이를 했어요. 또 체험 학습 가고 싶어요.

제목으로 '체험 학습'이 어떨까?

글의 알맞은 제목을 찾아 색칠하세요.

❶ 삽, 씨앗, 물뿌리개를 준비해요.

❷ 흙을 주먹만큼 파요.

❸ 씨앗을 심어요.

❹ 흙을 덮고, 물을 뿌려요.

모래놀이 | 씨앗 심기

학부모 TIP 글의 제목은 중요한 사건을 간단히 줄이거나 글에 주로 나온 사람이나 주로 다룬 물건 이름 등으로 붙일 수 있습니다. 글의 내용에 어울리는 제목을 찾아보도록 지도해 주세요.

❶

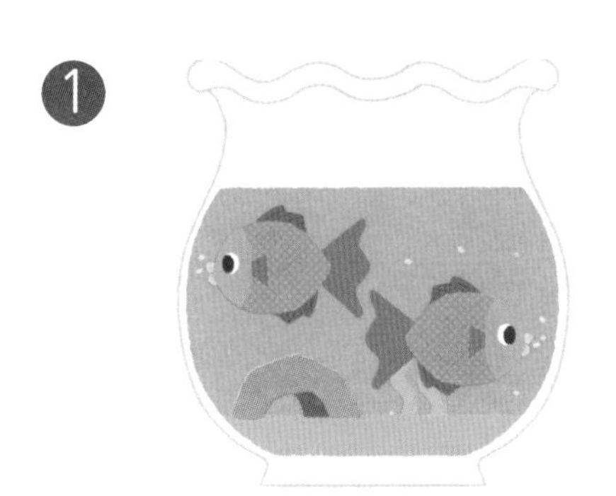

동그란 어항에 사는 우리 집 금붕어는 헤엄칠 때마다 반짝반짝해요. 물속에서 눈 한번 깜박이지 않지요.

햄스터 키우기 | 우리 집 금붕어

❷

팔씨름은 손을 맞잡고 하는 경기입니다. 힘을 세게 주어 상대의 손등이 바닥에 먼저 닿게 하면 이깁니다.

팔씨름 | 다리 운동

독해 ❶

따라 읽기

세계의 [ ]

세계 곳곳에는 다양한 축제가 열려요. 스페인은 8월에 '토마토 축제'를 해요. 큰 공원에 모인 마을 사람들이 새빨간 토마토를 서로에게 던지며 신나게 놀아요. 미국은 10월이 되면 '핼러윈'을 즐겨요. 아이들은 유령이나 마녀 모습으로 꾸민 다음 집집마다 다니며 음식을 얻어먹어요.

원리 콕 이 글의 제목으로 알맞은 것은 무엇인가요?

'세계의 [노래] / [축제]'예요.

1 미국 '핼러윈'에서 볼 수 있는 모습에 ○ 하세요.

따라 읽기

☐이란?

올림픽은 세계 여러 나라 사람이 4년에 한 번 모여서 하는 큰 체육 대회입니다. 수영, 체조, 마라톤 등등 정말 많은 경기를 해요. 선수들은 열심히 연습한 실력을 뽐내며 금메달, 은메달, 동메달을 따려고 최선을 다해요. 우리나라도 서울에서 올림픽을 열었어요.

원리 콕 이 글의 제목으로 알맞은 것은 무엇인가요?

'월드컵 / 올림픽 이란?'이에요.

2 올림픽에 대해 알맞게 쓴 것에 모두 색칠하세요.

올림픽은 10년에 한 번 해요.

올림픽에서 많은 경기를 해요.

서울에서 올림픽을 열었어요.

5주

독해 주제:
우리 문화

위 그림에서 아래의 내용들을 찾아 ○ 하세요.

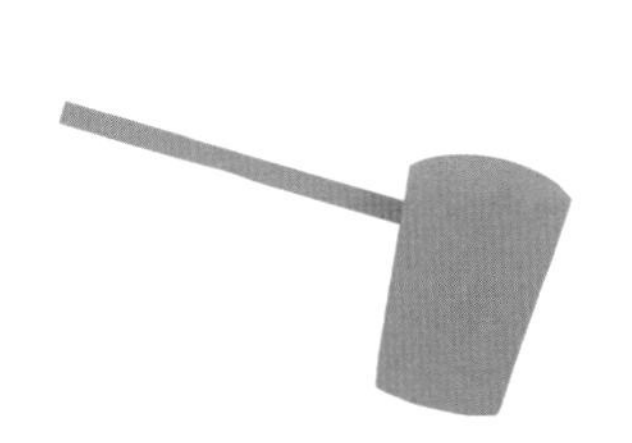

독해 원리

글의 내용과 같은지 살피기

단오는 우리나라의 명절 중 하나예요. 단오는 수레바퀴 모양의 떡을 만들어 먹어 수릿날이라고도 해요.

옛날 단옷날에는 창포물에 머리를 감았어요. 또 씨름을 하고 그네를 타며 이웃 간의 정을 쌓았어요.

단오를 수릿날이라고도 해요.

단오에 그네를 타지 않았어요.

연습 글의 내용과 같으면 ○에, 글의 내용과 다르면 ×에 색칠하세요.

동짓날은 팥죽을 끓여 먹는 날이에요. 동짓날에는 온 식구가 팥죽을 먹고, 손님에게도 대접하며 나쁜 일이 생기지 않기를 빌었어요.

동짓날에 팥빙수를 먹어요.  

학부모 TIP 자녀가 글을 꼼꼼히 읽은 다음, 글의 내용과 문제의 내용이 일치하는지 알아보게 지도해 주세요. 일치하지 않는 경우, 어떤 부분이 그런지 부모님이 꼭 다시 알려 주세요.

1

복날은 7월에서 8월 사이의 매우 더운 날이에요. 더위를 이겨 내려고 복날에는 삼계탕을 먹어요.

복날은 매우 추운 날이에요.  

추석에는 새로 난 쌀로 밥을 짓고 송편을 만들어요. 또 모두 모여 보름달을 보며 강강술래를 해요.

추석에 모여 강강술래를 해요.  

독해 ❶

따라 읽기

할머니가 들려주는 야광 귀신 이야기

옛날에는 설날 밤에 야광 귀신이 아이들의 신발을 가져간다고 믿었어. 하루는 야광 귀신이 신발을 찾다가 체를 봤지. 야광 귀신은 체의 구멍을 세고, 또 세다가 아침이 되자 도망쳤어. 이때부터 사람들은 설날이면 야광 귀신을 쫓으려고 문밖에 체를 걸었단다.

원리 콕 이 글의 내용과 아래 내용이 같은가요?

설날 밤에 야광 귀신은 아이들의 가방을 가져갔어요.

예 / 아니요.

1 **옛날 사람들이 설날에 한 일에 밑줄을 그으세요.**

문밖에 체를 걸었어요.

야광 귀신과 춤을 췄어요.

따라 읽기

선생님이 들려주는 대보름날 이야기

보름달이 뜨는 대보름날, 우리나라 사람들은 더위를 팔았어요. 더위를 팔려면 대보름날 아침에 처음 만난 사람을 불러요. 그 사람이 대답하면 "내 더위 사세요." 하면 돼요. 이렇게 하면 그해 여름에 더위를 먹지 않는다고 믿었지요.

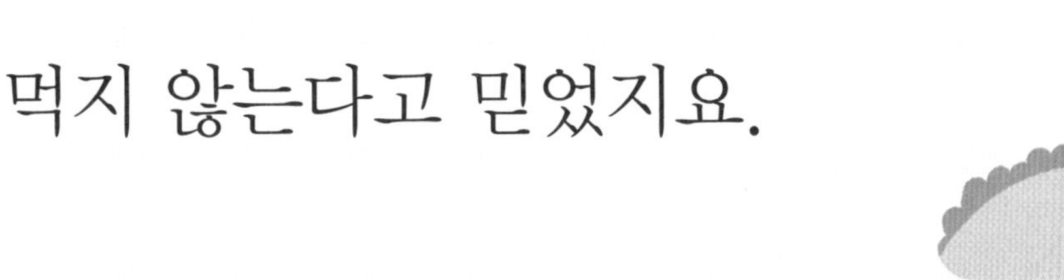

원리 콕 이 글의 내용과 아래 내용이 같은가요?

대보름날에 우리나라 사람들은 더위를 팔았어요.

예 / 아니요 .

2 대보름날 더위 파는 말을 바르게 말한 동물에 ○ 하세요.

내 털 사세요.	내 추위 사세요.	내 더위 사세요.

독해 원리

2일 가장 중요한 내용 알기

옛날 우리나라 궁궐에는 많은 사람이 살았어요. 왕과 왕비가 살았어요. 또 왕의 가족과 신하들도 살았어요.

가장 중요한 내용

제주도 집은 나무 막대로 주인이 있는지, 없는지를 알렸어요. 주인이 없으면 나무 막대를 모두 걸었어요. 주인이 있으면 나무 막대를 내렸죠.

가장 중요한 내용

 가장 중요한 내용을 찾아 밑줄을 그으세요.

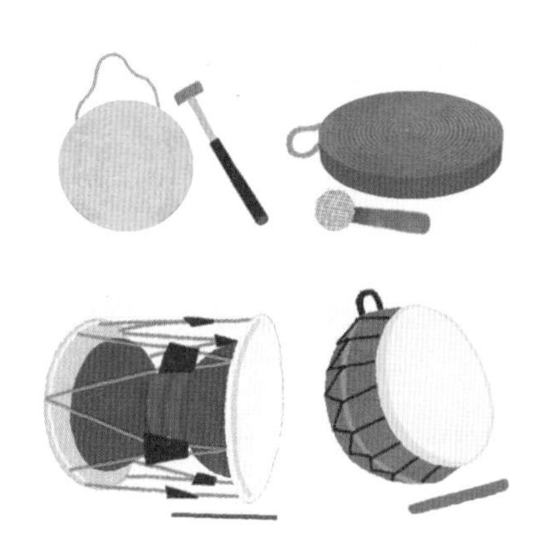

사물놀이에 쓰이는 네 가지 악기는 자연을 뜻해요. 꽹과리는 천둥과 번개를, 징은 바람을 뜻해요. 그리고 장구는 비를, 북은 구름을 뜻해요.

학부모 TIP 글에는 가장 중요한 내용과 그것을 자세히 설명해 주는 내용이 있습니다. 7세는 글에서 가장 중요한 내용을 찾는 것이 아직 어려운 때이므로, 부모님이 함께 찾아봐 주세요.

❶

동물은 사람에게 다양한 먹을 것을 줍니다. 젖소는 맛있는 우유를 줍니다. 그리고 닭은 싱싱한 달걀을 줍니다.

❷

바람은 여러 가지 일을 합니다. 바람은 연이 하늘을 날게 해 주고, 바다에 파도를 일으킵니다. 그리고 빨래도 말려 준답니다.

따라 읽기

옛날과 오늘날의 물건

옛날과 오늘날에 주로 쓰는 물건이 달라요.

옛날		오늘날	
	붓으로 글을 썼어요.		연필로 글씨를 써요.
	가마를 타고 다녔어요.		자동차를 타고 움직여요.
	맷돌로 콩을 갈았어요.		믹서로 음식을 갈아 먹어요.

가장 중요한 내용은 무엇인가요?

옛날과 오늘날에 주로 쓰는 물건이 [같아요] / [달라요].

1 옛날에 볼 수 있었던 모습을 모두 찾아 ○ 하세요.

독해 ❷

따라 읽기

해태

사자와 비슷하게 생기고, 무서운 표정을 짓는 이 동물은 무엇일까요? 바로 해태입니다.

해태는 나쁜 일을 막아 주는 상상* 속 동물입니다. 우리나라는 해태를 세워 궁궐을 지키게 했습니다. 궁궐이 나무로 지어져 불에 잘 탔기 때문입니다.

* **상상** 실제로 없는 것의 모양을 생각 속에 꾸민 것.

가장 중요한 내용은 무엇인가요?

해태 / 사자 는 나쁜 일을 막아 주는 상상 속 동물입니다.

2 궁궐에 왜 해태를 세웠나요?

1 해태가 나무를 좋아해서

2 해태 엉덩이에 꼬리가 있어서

3 해태가 궁궐을 지키게 하려고

독해 원리

생활 글에서 정보 얻기

한복 전시회

'우리 전통의 옷, 한복'의 아름다움을 느껴 보세요.

때: 20○○년 9월 10일~17일

곳: 인사동 별님 박물관

한복 전시회가 언제, 어디에서 열리는지 알 수 있어.

박물관 예절

1. 사진을 찍지 마세요.
2. 보물을 함부로 만지지 마세요.
3. 시끄럽게 떠들지 마세요.

박물관에서 지켜야 할 일을 알 수 있어.

연습 무엇에 대한 정보를 쓴 글인지 색칠하세요.

❶ 바퀴: 자전거가 움직이게 하는 것.
❷ 안장: 자전거에서 사람이 앉는 자리.
❸ 브레이크: 자전거를 멈추거나 늦추는 것.

자동차 / 자전거

학부모 TIP 일상생활 중에 접하는 글에는 다양한 정보가 들어 있어요. 자녀가 글의 제목이나 그림을 바탕으로 글에 담긴 정보를 꼼꼼히 살펴보도록 지도해 주세요.

1

- 이름: 바람 씽 선풍기
- 특징: 바람 세기를 쉽게 조절할 수 있어요.
- 주의: 젖은 손으로 사용하지 마세요.

선풍기 / 에어컨

2

약

- 배탈이 났을 때 먹는 약입니다.
- 하루 세 번 식사 후에 먹습니다.
- 한 번에 7밀리리터를 먹습니다.

키즈 약국

약 / 음료수

따라 읽기

민속촌* 안내도

우리 민속촌에서 옛날 사람들이 살던 집부터 쓰던 물건까지 다양하게 체험해 보세요.

* **민속촌** 옛날 모습을 보여 주려고 꾸며 놓은 마을.

무엇에 대한 정보를 쓴 글인가요?

[동물원] / [민속촌] 에 대한 정보를 썼어요.

1 민속촌에서 마지막에 체험할 것은 무엇인지 ◯ 하세요.

왕이 되기

옛날 놀이하기

나룻배 타기

따라 읽기

첨성대

첨성대는 동양*에서 가장 오래된 별과 달을 관찰하던 곳입니다. 첨성대는 돌을 쌓아 만들었습니다. 첨성대는 위로 갈수록 좁아지는 병 모양이고, 기린보다 더 키가 큽니다.

* **동양** 한국·중국·인도를 중심으로 한 아시아 지역.

원리 콕 무엇에 대한 정보를 쓴 글인가요?

기린 / 첨성대 에 대한 정보를 썼어요.

2 그림에서 첨성대를 찾아 예쁘게 색칠하세요.

독해 원리

4일 비슷한 경험 떠올리기

먼 옛날, 중국 사신*이 왔다. 중국 사신은 작은 나라에서 차린 음식이니 맛이 없을 거라며 우리나라 음식을 먹지 않았다.

그런데 맛있는 냄새가 솔솔! 중국 사신은 고기 하나를 입에 넣었다. 달콤한 고기가 입에서 사르르 녹는 듯 정말 맛있었다.

중국 사신은 우리나라를 작다고 비웃은 자신이 부끄러웠다. 중국 사신이 그토록 맛있게 먹었던 이 음식이 불고기이다.

나도 외국 음식을 먹지도 않고 맛이 없을 거라 생각했어.

* **사신** 옛날에 다른 나라에 가는 신하.

글 속 인물과 비슷한 경험을 한 친구를 찾아보세요.

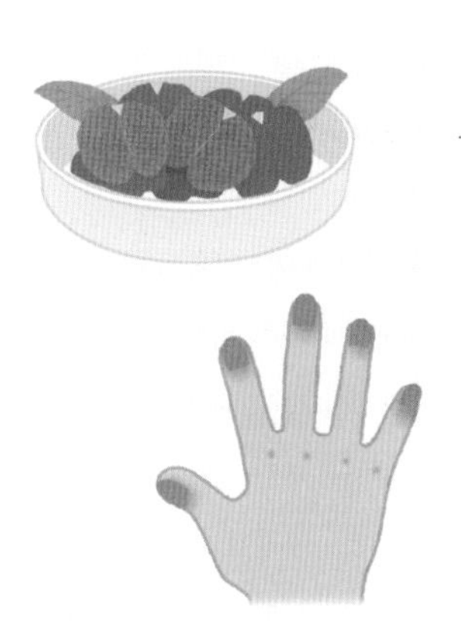

소희가 봉숭아꽃과 잎을 따서 흰 가루와 함께 찧었어요. 그것을 손톱에 올려 비닐로 감아 실로 묶었지요. 몇 시간 뒤, 실을 풀고 손을 씻었더니 손톱에 예쁜 봉숭아 물이 들었어요.

여름에 동생 손톱에 봉숭아 물을 들여 줬어.

시골 할머니 댁에서 반딧불이를 보았어.

학부모 TIP 글 속 인물이 겪은 일을 알게 해 주신 다음, 자녀가 그 일과 비슷한 자신의 경험을 떠올려 보게 해 주세요. 자녀가 어려워한다면 부모님이 먼저 비슷한 경험의 예를 들어 주세요.

❶ 주아가 판소리를 배웠어요. 판소리는 북소리에 맞춰 노래로 이야기를 하는 우리 음악이에요. 북 치는 선생님이 “얼씨구.”, “좋다.”고 하자 주아는 신이 났어요.

나는 장구 소리를 정말 싫어해.

나도 처음 판소리를 배웠을 때 신났어.

독해 ❶

따라 읽기

김치 한번 먹어 봐

"싫어, 싫어. 나는 김치 안 먹을 거야."
"한나야, 김치를 먹어야 배가 아프지 않고 똥을 잘 눌 수 있어. 한번만 먹어 봐."
엄마의 말씀에 오빠가 이어서 말했죠.
"책에서 봤는데 김치는 세계가 인정한 맛있고 건강한 음식이래. 오래 익혀서 소화*가 잘되게 한대."

* **소화** 먹은 것을 배 속에서 잘 빨아들이는 것.

원리 콕 한나와 비슷한 경험은 무엇인가요?

"채소를 [먹기 싫다고] / [먹고 싶다고] 떼를 썼어요."

1 김치의 좋은 점을 모두 찾아  에 색칠하세요.

독해 ❷

따라 읽기

처음으로 떡을 만든 날

날짜: 20○○년 3월 8일 일요일	날씨: 구름이 껴서 흐림.

우리 가족은 떡 마을에 갔다. 우리는 떡을 만들려고 쌀을 찐 다음에 방망이로 내리쳤다. 여러 번 내리치고 나니 쫄깃쫄깃하고 말랑말랑한 떡이 되었다. 그 떡에 고소한 콩가루를 묻혀 인절미를 만들었다. 처음으로 내가 만든 인절미! 최고로 맛있었다.

원리 콕 글쓴이와 비슷한 경험은 무엇인가요?

"나는 송편을 만들어 보았어 / 그림으로 그렸어."

2 인절미를 만들 때 가장 나중에 할 일에 ○ 하세요.

쌀 찌기

콩가루 묻히기

방망이로 내리치기

독해 원리

5일 글의 내용 간추리기

세종 대왕은 옛날 우리나라 왕이에요.

세종 대왕이 나라를 다스리던 때에 우리나라에서는 한자를 썼어요. 한자는 백성들이 배우기 어려운 글자였지요.

세종 대왕은 백성들이 배우기 쉽고, 쓰기 편한 글자를 만들기 위해 노력했어요.

결국 세종 대왕은 '한글'을 만들었어요. 세종 대왕이 있어서 지금 우리의 한글이 있는 거예요.

간추리기 **세종 대왕은 배우기 쉽고, 쓰기 편한 글자인 한글을 만들었어요.**

글의 내용을 간추려 빈칸에 알맞은 말을 쓰세요.

우리나라는 세계에서 제일 먼저 철로 된 튼튼한 배를 만들었어요. 우리나라는 서양에서 철로 배를 만든 때보다 250년이나 먼저 철로 배를 만들었어요. 그 배가 바로 '거북선'인데 이순신 장군이 만들었어요.

간추리기 **[거북선]은 세계에서 제일 먼저 철로 만든 배로, 이순신 장군이 만들었어요.**

학부모 TIP 글의 중요한 낱말과 문장을 먼저 찾아보게 해 주세요. 그런 다음 자녀가 중요한 낱말, 문장으로 글의 내용을 짧게 정리해 보는 과정을 이해하도록 해 주세요.

1

고릴라는 주먹으로 가슴을 두드려서 화가 났다고 표현해요. 강아지는 오줌을 누어 자기 땅이라고 표시하죠. 또 꿀벌은 춤을 추어 먹이가 있는 곳을 알려요.

이처럼 동물들은 말을 못하는 대신 몸짓으로 하고 싶은 말을 해요.

간추리기 **고릴라, 강아지, 꿀벌과 같은 동물들은**

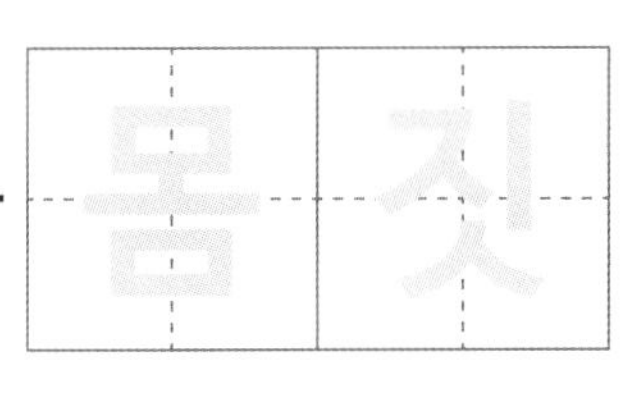

으로 하고 싶은 말을 해요.

독해 1

따라 읽기

왜 꿩 대신 닭일까요?

아주 옛날에는 떡국에 꿩고기를 넣어 맛있게 먹었어요. 그런데 꿩고기는 구하기도 어렵고, 비쌌어요. 그래서 꿩고기를 못 구하면 떡국에 닭고기를 넣기 시작했어요. 집집마다 닭을 키워서 구하기 쉽고, 값도 쌌거든요. 이처럼 딱 맞는 것이 없어 비슷한 것으로 대신할 때 '꿩 대신 닭'이라고 해요.

원리 콕 글의 내용을 간추려 보세요.

떡국에 꿩고기 대신에 닭고기를 넣은 것처럼 비슷한 것으로 대신할 때 '꿩 대신 떡 / 닭'이라고 해요.

1 일이 일어난 순서대로 번호를 쓰세요.

떡국에 꿩고기를 넣어 먹었어요. … 1

꿩고기는 구하기 어렵고, 비쌌어요. … ☐

떡국에 꿩고기 대신 닭고기를 넣었어요. … ☐

따라 읽기

비를 나타내는 우리말

우리말에서 비를 나타내는 말은 여러 가지가 있어요. 짧은 시간에 갑자기 세차게 내리는 비는 '소나기'라고 해요. 조금씩 촉촉하게 내리는 비는 '가랑비'예요. 또 이슬처럼 아주 가늘게 내리는 비는 '이슬비'이지요.

원리 콕 글의 내용을 간추려 보세요.

우리말에서 비를 나타내는 말은 '소나기', '가랑비', '[무지개 / 이슬비]'와 같이 여러 가지가 있어요.

2 맞는 내용은 파란색 고리에 ◯, 틀린 내용은 빨간색 고리에 ◯ 하세요.

'소나기'는 조금씩 촉촉하게 내리는 비예요.

'이슬비'는 이슬처럼 아주 가늘게 내리는 비예요.

7세 초능력 유아 독해 1단계 정답

1주 1일

독해 원리 ……… 11쪽

1. 아기가
2. 곰이
3. 예린이가

독해 ❶ ……… 12쪽

원리 콕 비버

1 나무

독해 ❷ ……… 13쪽

원리 콕 스컹크

2

나쁜 냄새를 내뿜어요.

1주 2일

독해 원리 ……… 15쪽

1. 우유를 마셔요.
2. 웃고 있어요.
3. 실로폰을 쳐요.

독해 ❶ ……… 16쪽

원리 콕 벌레

1

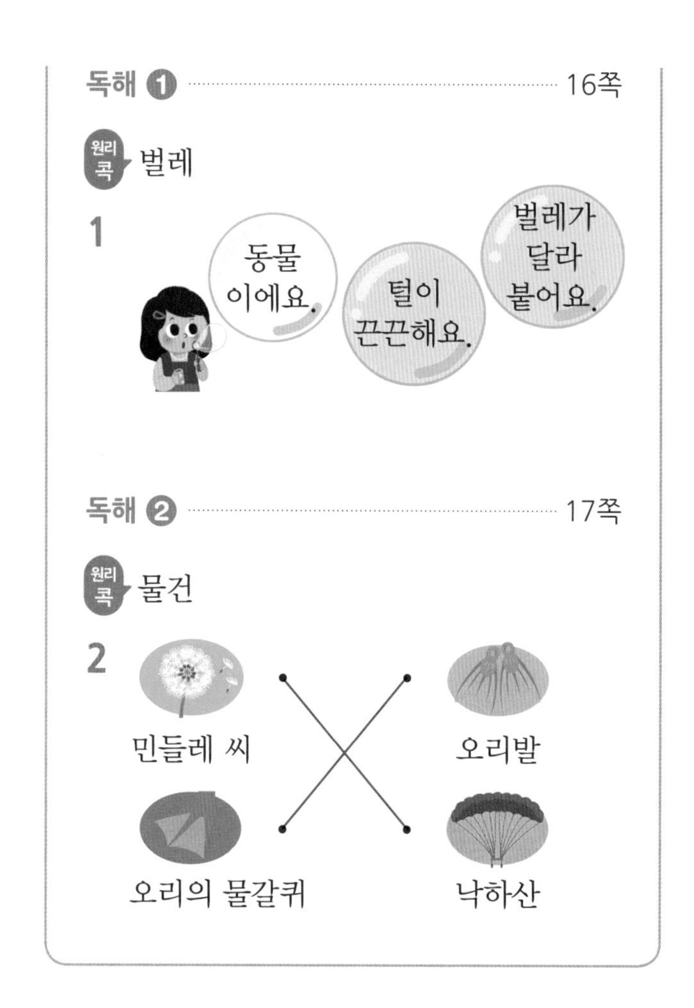

독해 ❷ ……… 17쪽

원리 콕 물건

2 민들레 씨 — 낙하산
오리의 물갈퀴 — 오리발

1주 3일

독해 원리 ……… 19쪽

1. 옛날에
2. 밤에
3. 낮에

독해 ❶ ……… 20쪽

원리 콕 아주 오래전

1 아르젠티노사우루스

독해 ❷ ······ 21쪽

원리 콕 오늘 아침

2 비옷 ○

장화 ○

지렁이 ○

1주 4일

독해 원리 ······ 23쪽

❶ 마트에서

❷ 놀이터에서

❸ 길에서

독해 ❶ ······ 24쪽

원리 콕 사막

1 혹에 기름이 들어 있어서

독해 ❷ ······ 25쪽

원리 콕 물

2 갈대

1주 5일

독해 원리 ······ 27쪽

❶ 개미가 / 허둥대요.

❷ 진우가 / 밥을 먹어요.

❸ 하마가 / 하품을 해요.

독해 ❶ ······ 28쪽

원리 콕 바다

1 바닷물이 다 날아가고 소금만 남으면 굳어모아요.

규민

독해 ❷ ······ 29쪽

원리 콕 오늘

2 산에서 맛있는 버섯을 캡니다.

산에서 맑은 공기를 마십니다.

산에 있는 나무로 가구를 만듭니다.

2주 1일

독해 원리 ……… 33쪽

❶ 높게

❷ 세차게

❸ 빨갛게

독해 ❶ ……… 34쪽

원리 콕 즐겁게

1

귀 로 아름다운 새소리를 들어요.

입 으로 달콤한 아이스크림을 맛보아요.

독해 ❷ ……… 35쪽

원리 콕 천천히

2

젖니 — 아기일 때 처음으로 나는 이

영구치 — 젖니가 있던 자리에 새로 나는 이

2주 2일

독해 원리 ……… 37쪽

❶ 공에 맞아서

❷ 풍선을 잡으려고

❸ 비가 많이 와서

독해 ❶ ……… 38쪽

원리 콕 할머니

1

어른께 하는 말: 생신

독해 ❷ ……… 39쪽

원리 콕 한 가족이어서

2

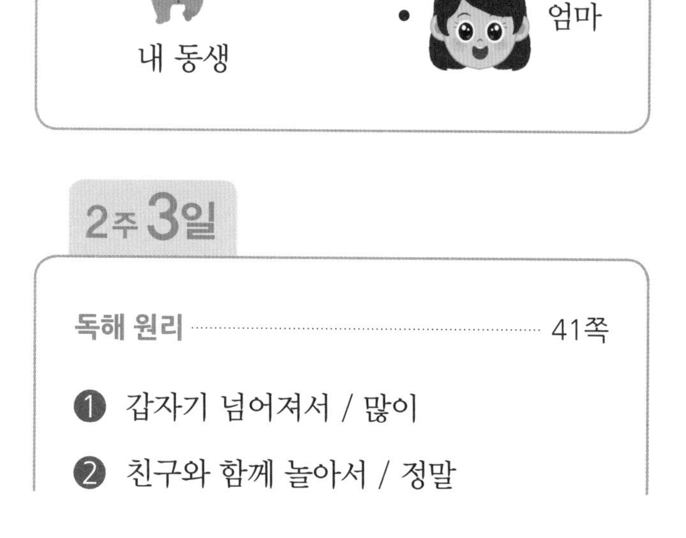

2주 3일

독해 원리 ……… 41쪽

❶ 갑자기 넘어져서 / 많이

❷ 친구와 함께 놀아서 / 정말

독해 ❶ ········ 42쪽

원리 콕 화가 / 열심히

1 • 이름은 장범준 입니다. ○

• 멋진 가수가 되고 싶어 합니다. ○

독해 ❷ ········ 43쪽

원리 콕 민희 / 빠르게

2 힘들었지만 재미있었어요.

2주 4일

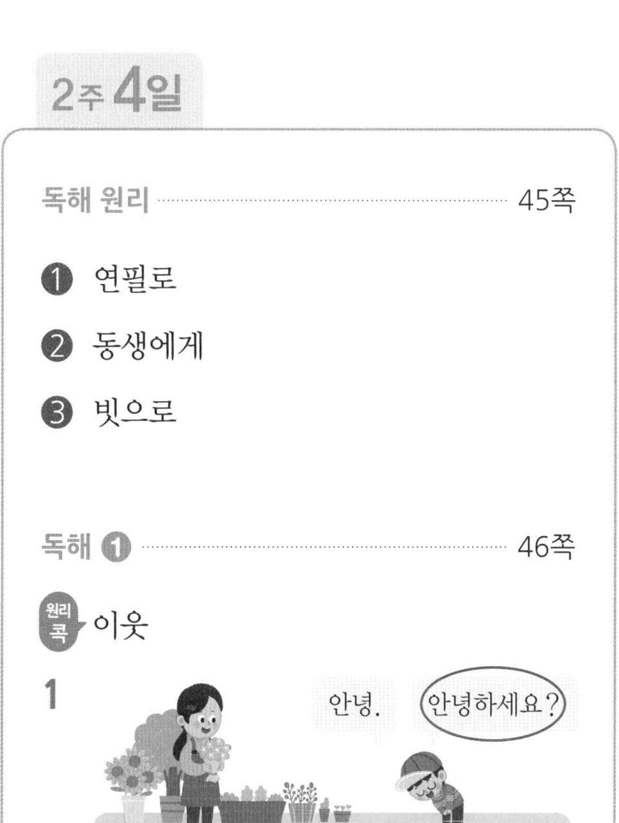

독해 원리 ········ 45쪽

❶ 연필로

❷ 동생에게

❸ 빗으로

독해 ❶ ········ 46쪽

원리 콕 이웃

1

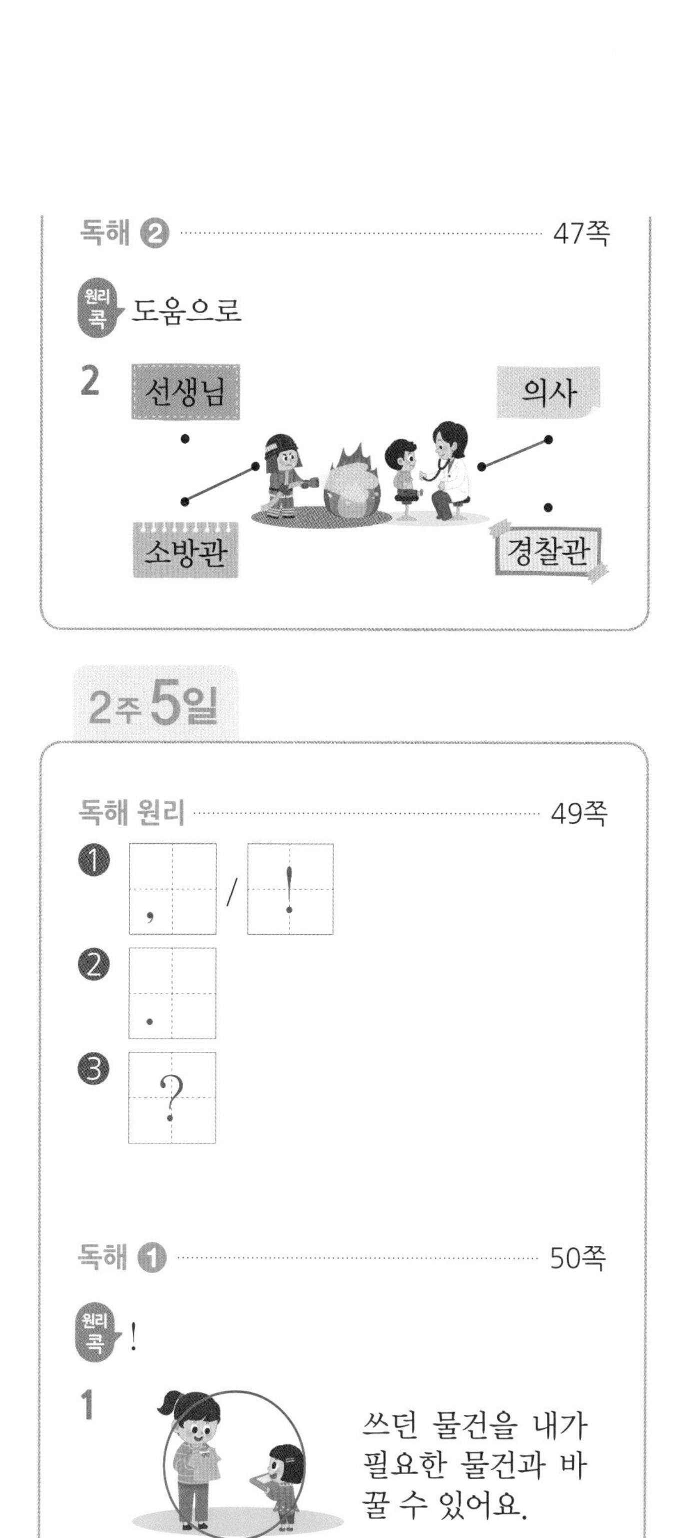

독해 ❷ ········ 47쪽

원리 콕 도움으로

2

2주 5일

독해 원리 ········ 49쪽

❶ , / !

❷ .

❸ ?

독해 ❶ ········ 50쪽

원리 콕 !

1 쓰던 물건을 내가 필요한 물건과 바꿀 수 있어요.

독해 ❷ ········ 51쪽

원리 콕 .

2 까치에게 주려고 남겨 두는 감

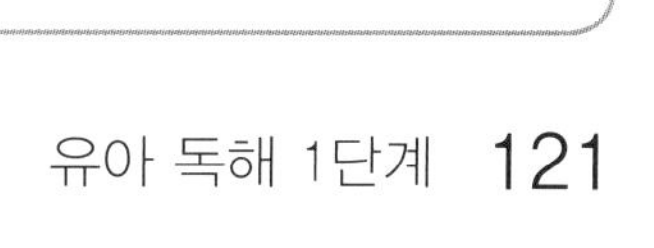

7세 초능력 유아 독해 1단계 정답

3주 1일

독해 원리 ············ 55쪽

❶ 태풍이 오는 날 바깥에 나가면 위험해요.

❷ 오늘 우리 동네 뒷산에 큰 화재가 났어요.

독해 ❶ ············ 56쪽

규칙

1

놀이터

독해 ❷ ············ 57쪽

찻길

2

3주 2일

독해 원리 ············ 59쪽

❶ 뜨거운

❷ 아래

독해 ❶ ············ 60쪽

원리 콕 좋아져요

1

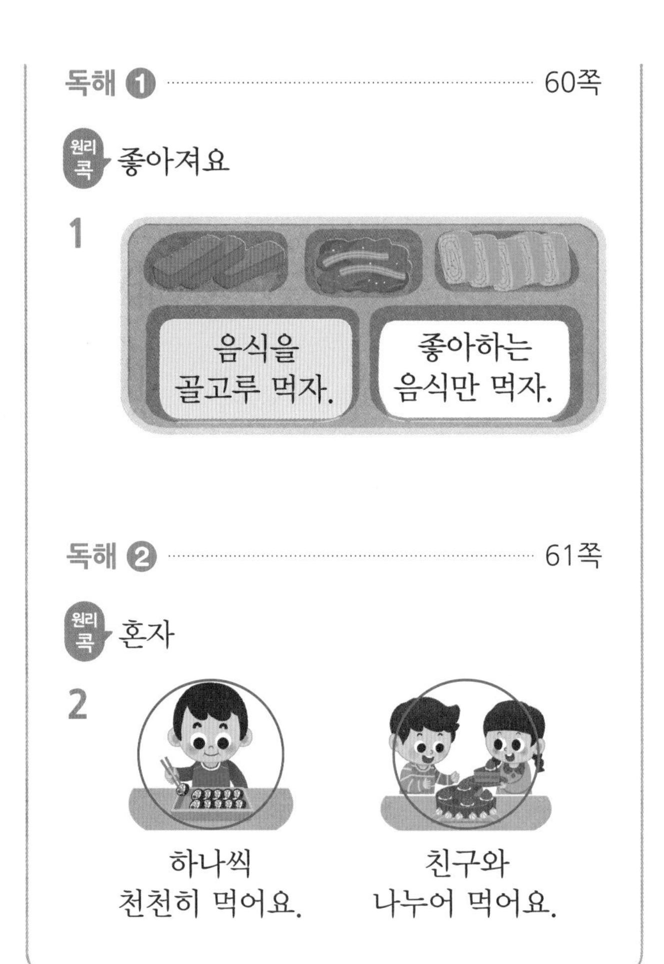

독해 ❷ ············ 61쪽

원리 콕 혼자

2

3주 3일

독해 원리 ············ 63쪽

❶ 아이들

❷ 창문

독해 ❶ ············ 64쪽

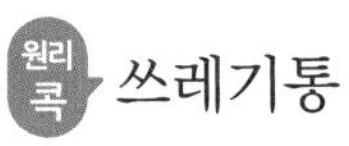
쓰레기통

1

독해 ❷ ··························· 65쪽

원리 콕 들

2

3주 4일

독해 원리 ··························· 67쪽

❶ 달콤한

❷ 길쭉한

독해 ❶ ··························· 68쪽

원리 콕 더러운

1

손 씻기　　목욕하기

독해 ❷ ··························· 69쪽

원리 콕 짧은

2

현아

3주 5일

독해 원리 ··························· 71쪽

❶ 첫째, 칫솔에 치약을 알맞게 짜요.

❷ 둘째, 칫솔로 이를 구석구석 닦아요.

❸ 셋째, 물로 입을 깨끗하게 헹궈요.

독해 ❶ ··························· 72쪽

원리 콕 그다음

1

10분 동안
모든 불 끄기

독해 ❷ ··························· 73쪽

원리 콕 첫째

2 | 일 | 회 | 용 | 품 | 입니다.

7세 초능력 유아 독해 1단계 정답

4주 1일

독해 원리 ········· 77쪽

❶ 이글루

❷ 바람개비

❸ 반려동물

독해 ❶ ········· 78쪽

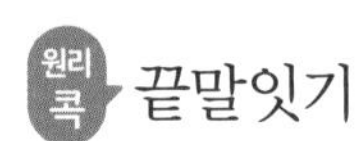
끝말잇기

1

독해 ❷ ········· 79쪽

공

2

4주 2일

독해 원리 ········· 81쪽

❶ 의자, 종이, 연필은 나무로 만들어요.

❷ 두유, 청국장, 두부는 콩이 들어간 음식이에요.

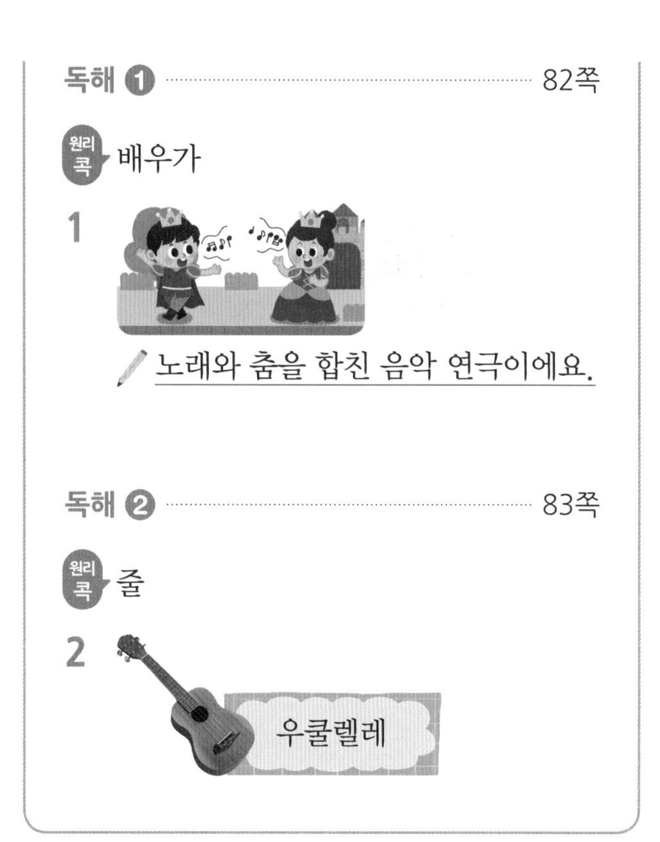

독해 ❶ ········· 82쪽

원리콕 배우가

1

노래와 춤을 합친 음악 연극이에요.

독해 ❷ ········· 83쪽

원리콕 줄

2

우쿨렐레

4주 3일

독해 원리 ········· 85쪽

❶ 은행나무 잎은 부채처럼 생겼어요. 소나무 잎은 바늘처럼 생겼어요.

❷ 짚으로 지은 집은 바람에 날아가기 쉬워요. 벽돌로 지은 집은 바람에 날아가지 않아요.

독해 ❶ ········· 86쪽

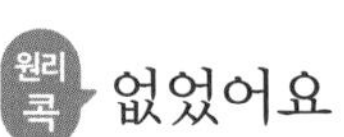
없었어요

1

동굴 벽, 동물 뼈

독해 ❷ 87쪽

원리콕 빨간색

2

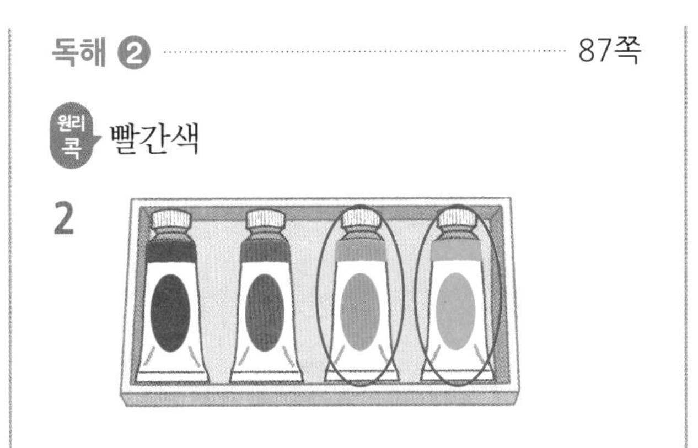

2

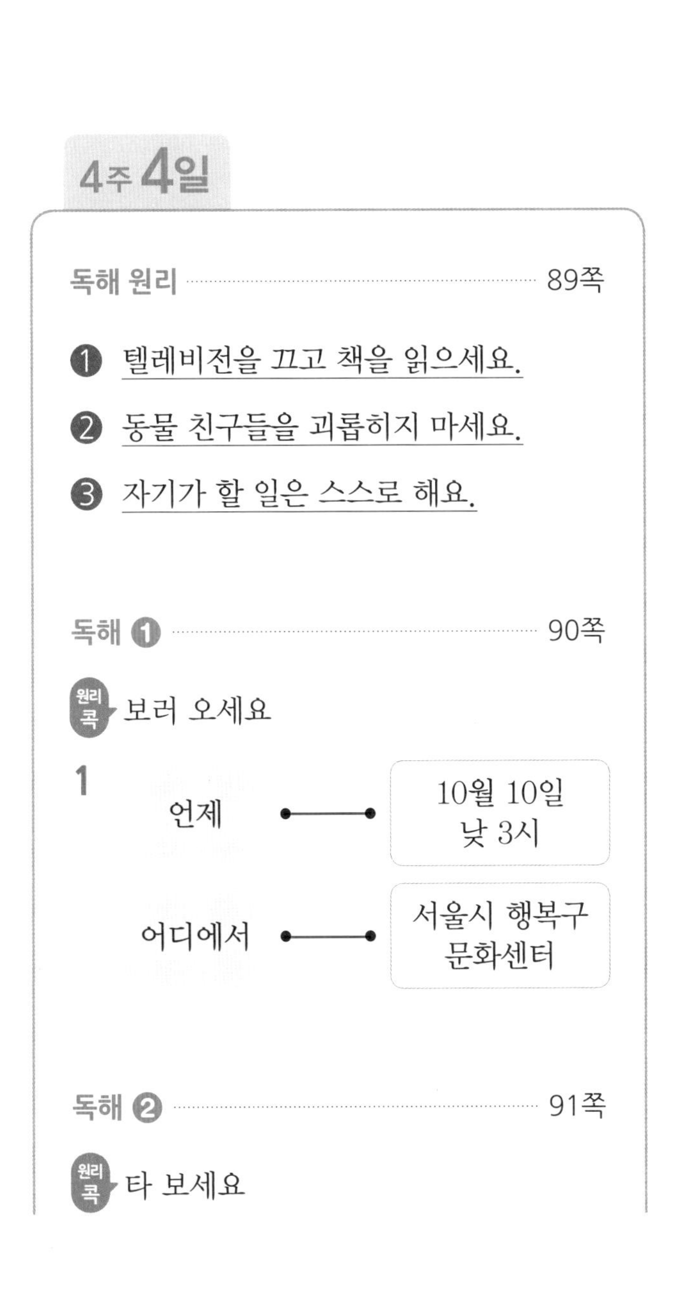

4주 4일

독해 원리 89쪽

❶ 텔레비전을 끄고 책을 읽으세요.

❷ 동물 친구들을 괴롭히지 마세요.

❸ 자기가 할 일은 스스로 해요.

독해 ❶ 90쪽

원리콕 보러 오세요

1

언제	10월 10일 낮 3시
어디에서	서울시 행복구 문화센터

독해 ❷ 91쪽

원리콕 타 보세요

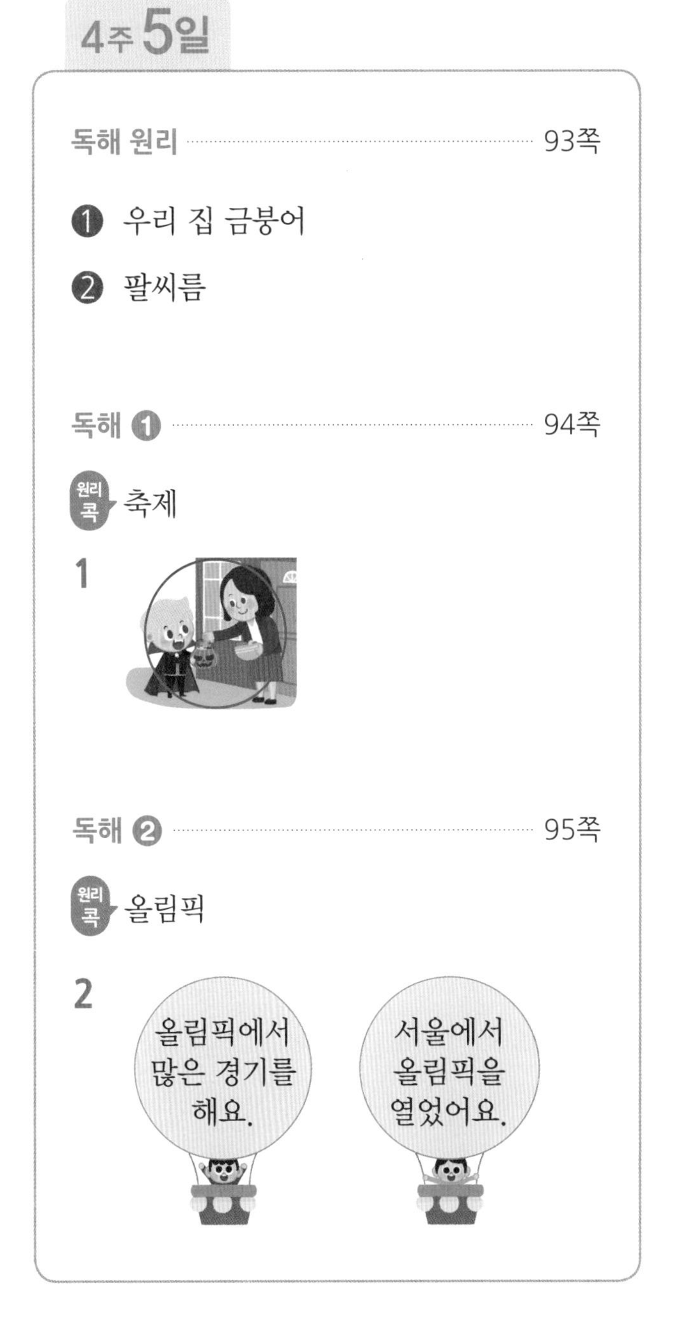

4주 5일

독해 원리 93쪽

❶ 우리 집 금붕어

❷ 팔씨름

독해 ❶ 94쪽

원리콕 축제

1

독해 ❷ 95쪽

원리콕 올림픽

2

5주 1일

독해 원리 99쪽

❶ ×

❷ ○

독해 ❶ 100쪽

원리 콕 아니요

1 문밖에 체를 걸었어요.

독해 ❷ 101쪽

원리 콕 예

2

5주 2일

독해 원리 103쪽

❶ 동물은 사람에게 다양한 먹을 것을 줍니다.

❷ 바람은 여러 가지 일을 합니다.

독해 ❶ 104쪽

원리 콕 달라요

1

독해 ❷ 105쪽

원리 콕 해태

2 3 해태가 궁궐을 지키게 하려고

5주 3일

독해 원리 107쪽

❶ 선풍기

❷ 약

독해 ❶ 108쪽

원리 콕 민속촌

1 나룻배 타기

독해 ❷ 109쪽

원리 콕 첨성대

2

5주 4일

독해 원리 111쪽

❶ 나도 처음 판소리를
배웠을 때 신났어. ○

독해 ❶ 112쪽

원리 콕 먹기 싫다고

1

독해 ❷ 113쪽

원리 콕 만들어 보았어

2

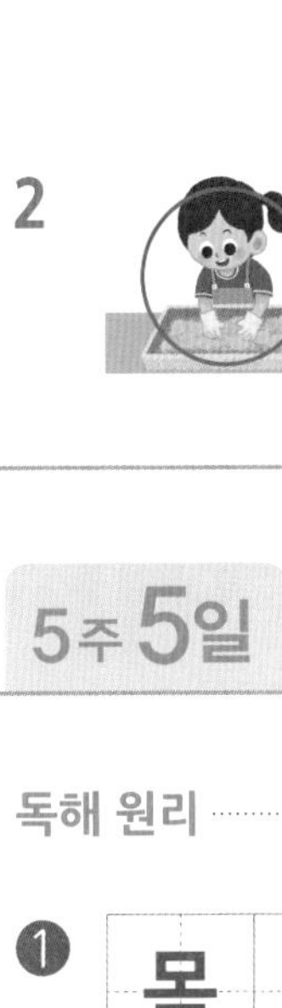

콩가루 묻히기

5주 5일

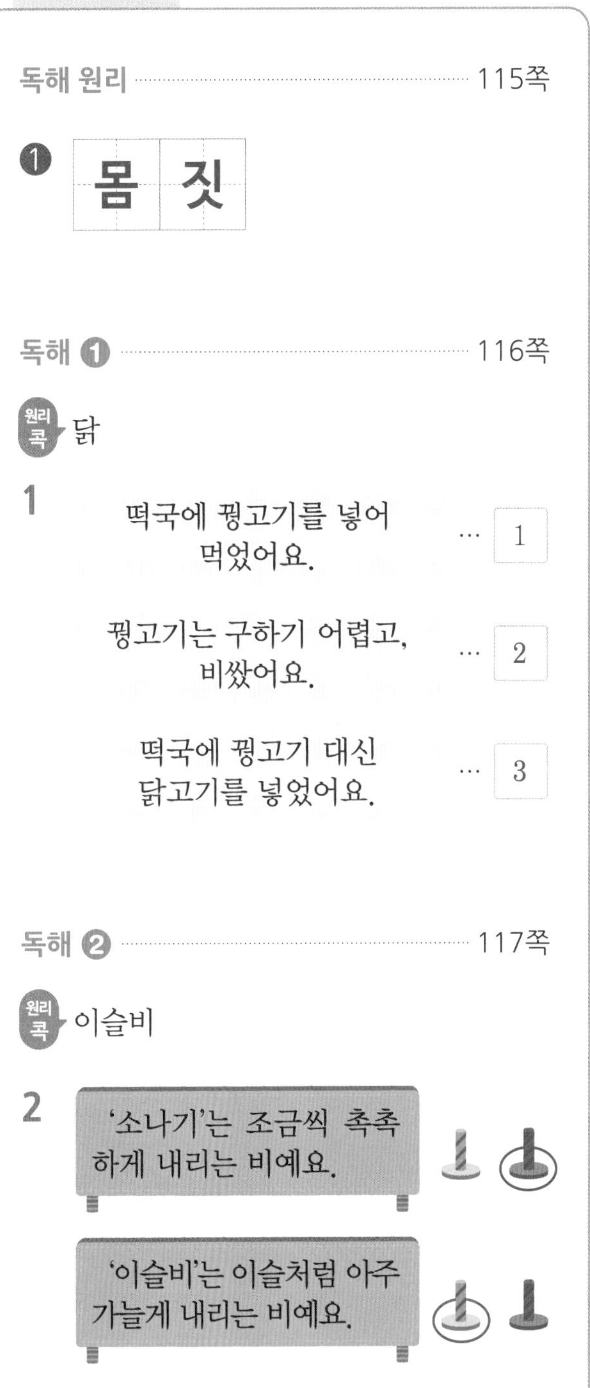

독해 원리 115쪽

❶ 몸 짓

독해 ❶ 116쪽

원리 콕 닭

1

떡국에 꿩고기를 넣어 먹었어요. … 1

꿩고기는 구하기 어렵고, 비쌌어요. … 2

떡국에 꿩고기 대신 닭고기를 넣었어요. … 3

독해 ❷ 117쪽

원리 콕 이슬비

2

상장

독해력 쑥쑥 상

이름 ____________________

위 어린이는 7세 초능력 유아 독해

1단계를 훌륭하게 마쳤습니다.

이에 칭찬하여 이 상장을 드립니다.

년 월 일